LE
KAMA SOUTRA
ILLUSTRÉ
ANANGA-RANGA • LE JARDIN PARFUMÉ

"Le yoni est frais, ferme mais délicat; et il y a amour et respect pour le mari.
Ceci est ... le type de tempérament le plus élevé" (Inde Centrale).

LE KAMA SOUTRA
ILLUSTRÉ

ANANGA-RANGA • LE JARDIN PARFUMÉ

GREMESE
INTERNATIONAL

Les trois œuvres ont été soumises à des coupures considérables pour pouvoir les insérer dans ce volume. Vu que le thème érotique est le plus important de cet ouvrage, les parties consacrées à l'astrologie, aux talismans, à la médecine populaire et à la magie ont donc été les premiers à être éliminés. D'autres coupures été nécessaires pour des raisons plus subjectives; elles vont des interminables tables de Kalyana Malla, qui sont ennuyeuses et qui demeurent impénétrables, aux histoires racistes ou ségrégationnistes à l'égard du sexe féminin dues au cheikh Nefzawi, qui ont été jugées répréhensibles. Il est certain que des savants devraient travailler sur des textes intégraux qui comprennent aussi divers détails sur les avortements ou sur les organes génitaux des animaux, des parties qui ont été elles aussi coupées. Il faut en effet tenir compte du fait que ce livre n'a pas été conçu pour des spécialistes.

Notre intention a été de restituer le traité érotique dans sa substance, comme il avait été écrit par ses auteurs, tout en lui donnant plus de vie grâce à l'intégration d'un matériel secondaire capable d'enrichir le fond et de donner de la couleur, là où c'était possible, en fournissant des aperçus de la société dans laquelle les auteurs vivaient. Les textes respectent les originaux publiés en 1883 (Kama Soutra), en 1886 (Ananga-Ranga et Le Jardin Parfumé). Des modifications d'une importance dérisoire ont été apportées (par exemple pour des raisons de concordance entre les diverses parties) pour maintenir la qualité et le ton des interventions de Burton et de Arbuthnot. Ainsi sont restées inchangées certaines constructions maladroites.

La succession originale a été respectée, sauf pour le Kama Soutra. Mis à part le chapitre très important sur les "64 arts" qui suit l'ordre de la IIe partie de la traduction de Burton, des libertés notoires ont été prises pour ordonner les autres éléments de façon à rendre plus cohérentes les parties abrégées. On pourra regretter que ces changements aient dû être apportés au plus important des trois livres. Cependant l'œuvre de Vatsyayana a survécu à des traitements bien pires au cours des deux millénaires qui ont suivi sa création. Peut-être peut-on se faire pardonner par l'antique sage en citant cette belle éloge de Richard Burton:

"Aussi longtemps que les lèvres baiseront, que les yeux verront, Ce livre vivra et te donnera la vie".

(Il faut observer que ces vers sont une variation des deux derniers du XVIIe sonnet de Shakespeare): "So long as men can breathe and eyes can see / So long lives this, and this gives life to thee".

Les illustrations

Bien que les peintures miniatures utilisées pour illustrer ce volume fassent partie d'une tradition qui date de la conquête arabe de l'Inde, il n'existe dans le monde arabe (pour des raisons religieuses) aucune école de peinture analogue. Les peintures qui illustrent le Jardin Parfumé, produit de la culture nord-africaine, sont donc destinées à donner du relief au caractère et au ton du texte écrit, et c'est la raison pour laquelle ont surtout été choisies des peintures Mughal, bien qu'elles soient d'importation.

Remerciements

Il n'aurait pas été possible d'illustrer aussi richement cette œuvre sans la coopération de deux personnes.

Victor Lownes a fourni de nombreuses et splendides peintures qui font partie de sa collection et Lance Dane a fourni une contribution remarquable. L'incomparable compétence de Lance dans le domaine de l'art indien, sa connaissance encyclopédique des nombreuses collections éparpillées sur tous les continents et sa collection personnelle m'ont été d'une aide inestimable.

Le portrait de Richard Burton a été publié grâce à l'aimable concession de la National Portrait Gallery de Londres; l'illustration de la couverture est une reproduction consentie à titre de faveur par la Direction du Victoria and Albert Museum.

Titre original:
The Illustrated Kama Sutra
Ananda-Ranga • Perfumed Garden

Traduction:
Mireille Martin

Photocomposition
Graffiti - Roma

© 1987 The Hamlyn Publishing
Group Limited

© 1993 Gremese International s.r.l.
Boîte Postale 14335 - 00149 Rome

ISBN 88-7301-016-4

TABLE DES MATIÈRES

INTRODUCTION

L'actualité d'un manuel sur l'amour qui a plus de 2000 ans

C'est à peu près à la même époque où Saint Jean l'Évangéliste se consacrait à la naissance tourmentée de l'Apocalypse, sur l'île rocheuse de Patmos dans la mer Égée que Vatsyayana, un vieux sage de la ville sacrée de Bénarès sur le Gange, écrivait le Kama Soutra.

Tous les deux avaient consacré leur vie à la religion: Jean, que l'empereur Domitien avait exilé à cause de son ardent apostolat évangélique, se laissait aller à son inspiration prophétique et instruisait les communautés des sept Églises d'Asie du premier christianisme; Vatsyayana, selon l'usage hindou de l'époque, se préparait à la fin de ses jours en étudiant la religion et en composant son œuvre "selon les préceptes du Texte Sacré".

Mais les deux ascètes ne pouvaient être plus dissemblables. Alors que Jean, prophète inspiré, luttait dans la tourmente pour représenter les visions apocalyptiques nées de son subconscient, Vatsyayana analysait avec un détachement serein les principes du plaisir des sens.

Pour l'hindouisme, le sexe est presque sacré car il est essentiel à la vie et digne par conséquent d'être étudié sérieusement. Les plaisirs, disait Vatsyayana, "sont nécessaires pour le bien-être du corps autant que la nourriture; ils sont donc tous les deux également indispensables". Quelle différence avec la tradition judéo-chrétienne qui associe le péché et le sexe d'une façon obsessionnelle!

La condamnation de l'Église de Thyatire (qui aurait succombé au paganisme) prononcée par Jean au début de l'Apocalypse, abonde en références sexuelles. Mais la métaphore qu'il choisit pour Rome est plus significative encore: "mère des prostituées et de toutes les abominations de la Terre... La femme était vêtue de pourpre et d'écarlate, ornée d'or, de pierres précieuses et de perles et tenait dans la main une coupe en or pleine de l'abominable souillure de sa fornication..."[1]. Le ton rappelle celui d'Ézéchiel dans l'Ancien Testament: telle est en effet une image de la femme qui apparaît trop souvent dans les textes judéo-chrétiens[2].

Comparons cette conception avec celle, franche et libérée de toute culpabilité, de Vatsyayana qui décrit ainsi sa femme

idéale Padmiri: "Ses yeux sont brillants et beaux comme ceux d'une biche. Ses seins sont durs, pleins et dressés, son yoni[3] ressemble à une fleur de lotus qui s'entrouvre et la semence de son amour a l'odeur du lys à peine éclos. Elle marche comme un cygne et sa voix émet une musique suave...".
Il ne s'agit pas seulement du fait que Jean n'aimait pas les femmes alors que Vatsyayana les appréciait (même s'il en allait effectivement ainsi), mais d'une différence fondamentale entre ces deux cultures. L'amour physique est considéré comme un péché; et ce à un point tel que le Cantique des Cantiques de la Bible, l'évocation érotique la plus lyrique du monde, a été absurdement justifié par le fait qu'il s'agissait d'une métaphore de l'amour de Jésus pour l'Église.

L'absence de tout sentiment de culpabilité et de péché à l'égard du sexe est peut-être le message le plus important que le lecteur occidental moderne peut recevoir du Kama Soutra[4].

Les névroses, le malheur ou un comportement morbide par rapport au sexe ne sont pas les seuls maux transmis par ceux qui voudraient nous faire croire que péché et sexe sont synonymes. L'impulsion de la sexualité est trop forte: ceux qui désirent la dominer, en réalité la condamnent. Le Marquis de Sade a écrit: "Ils m'ont convaincu que seul le vice peut faire éprouver à l'homme ces vibrations morales et physiques qui sont la source de la plus délicieuse des voluptés".

Mais est-ce seulement d'amour dont vous avez besoin?

Le Kama Soutra est l'œuvre la plus célèbre qui ait jamais été écrite sur le sexe. Bien que seule la deuxième partie de la version de Sir Richard Burton, le chapitre 64, traite exclusivement de sexe, telle est l'idée que l'on se fait du Kama Soutra dans l'imaginaire collectif. Mais en réalité, le Kama Soutra recèle de nombreux autres thèmes. En respectant les limites d'espace qui nous sont imposées, nous avons tenu à maintenir les autres éléments présents dans l'original, des thèmes qui font corps avec la société pour laquelle a été conçu "le manuel du sexe". Le contenu sexuel des trois œuvres de ce volume constitue la matière première du livre, mais le sexe représente aussi le lien le plus direct entre ces cultures et la nôtre. Certains anthropologues, afin de mieux comprendre les populations qu'ils étudiaient, ont exploré la vie sexuelle de ces peuples et ont obtenu ainsi une grande notoriété; Freud, lui même, explique comment les premières curiosités sexuelles des enfants jouent un rôle considérable dans le développement successif de leurs

---

1. Les lecteurs de la Bible du Roi Jacques devraient être éternellement reconnaissants au traducteur qui, vers la fin de l'Apocalypse, après qu'aient péri la Femme et la Bête, a fait un lapsus: "Et tous les rois de la terre qui se sont livrés avec elle à l'impudicité et avec elle vivaient *délicieusement*, devraient la pleurer...".
2. A l'origine du bouddhisme, le concept absurde de la femme "tentatrice/vase d'iniquité" était assez courant; puis il a succombé sous l'influence de l'hindouisme. Le traité du cheikh arabe Nefzawi *Sur les pièges et les trahisons des femmes* n'a pas été inclus dans la version abrégée du Jardin Parfumé publiée dans ce volume.

3. Yoni: selon le Random House Dictionary, New York, p. 1656 (dans le Shaktisme), les parties génitales externes de la femme, considérées comme le symbole de Shakti.
4. L'actualité de l'Ananga-Ranga et du Jardin Parfumé sera traitée plus loin.

Le portrait de Sir Richard Burton, réalisé par son ami Lord Leighton et exposé pour la première fois en 1875.

capacités intellectuelles. Le sexe représente un excellent moyen pour commencer à comprendre une autre culture, comme il l'est pour commencer à comprendre une autre personne. Plus simplement: existe-t-il quelque chose de plus intéressant que de lire comment se faisait l'amour en Inde au moment de la naissance des Évangiles (Kama Soutra), ou au moment où Christophe Colomb découvrait le Nouveau Monde (Ananga-Ranga), ou encore ce qui déclenchait et stimulait l'érotisme du Grand Vizir de Tunis alors que de l'autre côté de la Méditerranée le pape Borgia se livrait à des jeux illicites avec sa fille Lucrèce (Le Jardin Parfumé).

Richard Burton et ses amis de la Kama Shastra Society publièrent le Kama Soutra en 1883. Mais pendant plus d'un demi-siècle un cercle limité de savants, de bibliophiles et de messieurs distingués, aimant se tenir à l'écart après le souper pour se consacrer à leurs études, connurent l'existence de ces classiques. C'est seulement dans les années soixante de notre siècle, que le Kama Soutra connut une vaste diffusion.

Un rapide coup d'œil aux titres des journaux de l'époque nous montre qu'en réalité les années soixante n'ont pas marqué l'aube (pas même une fausse aube) d'une nouvelle ère de tolérance. Cette décennie a été marquée par une violente réaction populaire aux privations et à la grisaille des années d'après-guerre; Liverpool, jadis le plus grand port du monde, réélabora et réexporta la musique américaine comme cela s'était produit, dans le passé, avec le coton. En Occident une nouvelle culture était née, basée sur la musique faite expressément pour les jeunes, pour leurs intérêts et pour leurs inquiétudes. Une explosion simultanée de stimulations hormonales et l'augmentation du pouvoir d'achat contribuèrent à déterminer l'atmosphère dans laquelle le Kama Soutra allait pouvoir être publié sans réserve.

Etant donné que tout ce qui venait de l'Inde, du curry de Madras jusqu'au yoga, était à la mode, les origines hindoues du livre — sans parler de ses célèbres "positions" — permirent au Kama Soutra de trouver une place stable dans le vocabulaire et dans l'imagination populaires.

Malheureusement, le livre rejoignit la longue liste des classiques non lus. En général, le Kama Soutra est considéré comme un manuel sur le sexe ou, pire encore, comme un livre pornographique. Rien ne pourrait être moins pornographique que cette œuvre, qui ne peut cependant être considérée comme un livre où est enseigné l'amour pas à pas. En effet, de nombreuses asanas (les positions pour faire l'amour) ne sont praticables que par des yogis experts ou du moins par des athlètes exceptionnellement souples. Vouloir faire l'amour en suivant des recettes tout comme dans un livre de cuisine (une autre invention des années soixante), en s'en remettant surtout aux jeux préliminaires, a eu pour conséquence de fixer, dans l'imagination des hommes, l'idée erronée d'un clitoris, jusque là ignoré, qui fonctionnerait comme une sorte de manette de démarrage; or ceci est complètement étranger à l'esprit du Kama Soutra.

Kama Soutra, Ananga-Ranga et Le Jardin Parfumé

Le Kama Soutra est la plus importante et la plus ancienne des trois œuvres qui composent ce volume. L'auteur, qui s'appelait Mallinaga Vatsyayana, était autant compilateur qu'auteur: ses sources sont le vaste patrimoine de l'érotologie hindoue du premier siècle après Jésus-Christ. La personnalité du vieux sage transparaît même dans la version souvent inadéquate du point de vue stylistique de Burton-Arbuthnot.

Le soutra est un aphorisme, la manière la plus brève d'énoncer un principe. Le soutra était très employé certainement du fait de la diffusion restreinte de l'écriture et permettait aux étudiants de mémoriser plus facilement des textes importants. Toutes les œuvres plus importantes rédigées en sanscrit sur la logique, la grammaire et la philosophie sont écrites sous forme de soutras.

Ainsi condensées, les idées devaient être "réhydratées" grâce à un commentaire qui les rendaient compréhensibles, et les compagnons de Burton s'inspirèrent surtout du commentaire de Jayamangala du dixième siècle.

Par miracle, quelque chose de Vatsyayana a survécu à ces manipulations. Grand connaisseur du monde sans en être dégoûté, il traite l'argument avec un détachement parfois presque clinique. Cependant son livre est avant tout un ouvrage humain, un chef d'œuvre de tolérance et de bon sens. Malgré "l'opposition de certains sages", Vatsyayana insiste pour que les femmes lisent ce livre et sur ce thème il disserte comme d'habitude avec pragmatisme et humanité.

Tous les auteurs indiens qui lui succédèrent ne purent que suivre les traces du vieux sage; d'ailleurs, au cours des siècles, les moins importants d'entre eux le reconnaissent: avec le Kama Soutra, Vatsyayana a écrit une des plus grandes œuvres de la littérature mondiale.

L'Ananga-Ranga, ou Condition de Celui qui est Incorporel, est une œuvre du Moyen Age indien. Que de changements étaient intervenus depuis l'époque de Vatsyayana! Dans l'Inde antique la ségrégation des femmes n'existait pas et les rapports sexuels avant le mariage et extra-conjugaux étaient de toute évidence habituels. Kalyana Malla, l'auteur de l'Ananga-Ranga, vivait dans une société rigide et gouvernée par des règles précises, dans laquelle le mariage en bas âge était la norme; les hommes et les femmes qui n'étaient liés d'aucune manière avaient peu de possibilités de s'approcher.

La société était soumise à de nombreuses règles de comportement et l'on retrouve la même situation dans l'Ananga-Ranga. Les préceptes sont d'une minutie impressionnante dans les détails: "Pendant la nouvelle lune, le yoni de la femme Hastini doit être palpé jusqu'à ce qu'elle s'entrouvre comme une fleur". Des instructions aussi détaillées indiquent comment traiter chaque partie du corps (y compris le gros orteil) de chaque type de femme durant les huit parties de la journée et de la nuit pendant tout le calendrier lunaire. Il ne fallait surtout pas commettre d'erreur!

Les interdictions sont tout aussi impressionnantes: Kalyana Malla énumère une série d'interdictions concernant ce qui ne peut pas se faire, les lieux où l'on ne doit pas le faire et les personnes avec lesquelles il ne faut surtout pas penser pouvoir le faire, sur un ton qui parfois frise l'hystérie.

Tout en étant pédant et en ayant une bonne opinion de lui-même, Kalyana Malla poursuit le louable objectif d'empêcher que les lois rigides du mariage de son temps ne rendent celui-ci opprimant pour les deux époux. Malgré l'adjonction de nombreuses allusions peu pertinentes (sur l'astrologie, la chiromancie, etc.), il donne un grand nombre de conseils utiles et sensés. Certains conseils au sujet du sexe, en particulier, sont meilleurs que ceux de Vatsyayana.

Les deux hommes ne destinaient pas leurs écrits au même public: telle est la différence principale entre ces deux auteurs: Vatsyayana voulait inspirer les rapports entre les amants alors que Kalyana Malla s'adressait à des hommes mariés. Même si l'Ananga-Ranga est inférieur au Kama Soutra, son intention explicite de démontrer qu'un unique partenaire sexuel est suffisant pour tout un chacun le rend plus actuel dans la société d'aujourd'hui menacée par le virus du SIDA.

Les trois textes érotiques de ce livre ont tous été écrits par des hommes. Il est incontestable que chaque auteur était en quelque sorte un produit de la société dans laquelle il vivait en tant qu'homme, mais ce sont justement ces différences d'attitude et de contenu qui rendent encore plus heureux le rapprochement de ces trois manuels opéré dans l'édition publiée par la Kama Shastra Society. Mais, alors que Vatsyayana et Kalyana Malla étaient des hommes qui écrivaient pour un public d'hommes et de femmes, le cheikh Nefzawi était un homme qui écrivait pour des hommes à la manière d'un vieux vicieux. Mais il était plus poète que les deux autres auteurs réunis et avait de l'humour, qualité presque toujours absente dans la plupart des textes érotiques. Il n'aurait certainement pas été satisfait des coupures opérées dans son texte pour ce volume, mais il faut ajouter qu'il n'a pas été davantage sacrifié que les autres auteurs. De plus la traduction de Burton est elle-même incomplète comme ce sera expliqué à la fin de cette introduction.

Malgré les quatorze siècles qui séparent l'Ananga-Ranga du Kama Soutra, ils appartiennent tous les deux à la même ligne culturelle: les similitudes entre les deux mondes ne sont pas moins surprenantes que les différences. La capacité de l'Inde d'assimiler la culture des différents envahisseurs (durant la période où a été écrit l'Ananga-Ranga, l'Islam dominait dans le sous-continent indien) est immense: chaque nouvelle influence a été peu à peu absorbée pour devenir partie intégrante de l'Inde. Le Jardin Parfumé provient en revanche d'une culture totalement différente.

Tunis, où le cheikh Nefzawi écrivit le Jardin Parfumé, se démenait en effet dans un précaire équilibre entre les vues colonialistes espagnoles sur l'Afrique du Nord, la fragile indépendance de certains états musulmans et les incessants janissaires de l'empire ottoman. Après que le pape Alexandre Borgia eut été amené à faire empoisonner le frère du Sultan, les Turcs, sous le commandement de Beyezid, de Selim et enfin de Soliman le Magnifique, conquirent la Perse, l'Égypte et firent même des incursions en Europe, arrivant jusqu'en Allemagne, à Ratisbonne.

Tunis, en ce temps-là, était renommée pour ses mosquées, pour ses nombreux érudits et pour l'encouragement que l'on y donnait aux études. Dans cette ville riche et fastueuse, le cheikh Nefzawi n'aurait eu aucun mal à trouver un mécène intéressé à ce genre littéraire particulier. Dans la littérature arabe on avait tendance à privilégier le procédé qui consistait à élaborer et à mettre en évidence un concept au travers d'une histoire, en créant une espèce de parabole laïque. Il semble assuré que Burton lui-même ait traduit ces compositions. L'enthousiasme du traducteur induit à penser qu'il est juste d'attribuer au cheikh Nefzawi une position de chef de file dans le domaine de la littérature grivoise: une étoile mineure d'un firmament qui contient Boccace et John Cleland, sans compter bien sûr Burton.

Sir Richard Burton et la Kama Shastra Society (Londres et Bénarès)

Essayer de donner une idée de Richard Burton dans ces quelques pages d'introduction serait comme poursuivre un gigantesque et mauvais esprit-génie pour le faire entrer dans une bouteille vide. Un nombre incroyable d'écrivains a tenté de "capturer" Burton: sa femme Isabelle, catholique, pieuse et dévote, sa nièce protestante, Georgiane Stited, au caractère difficile, le vieux et irascible Frank Harris et nombre d'autres personnes jusqu'à nos jours. Aucun n'a réussi à reboucher la bouteille: le génie se moque de tout le monde en ricanant!

L'aspect physique de Richard Burton est un bon point de départ: non seulement il est déjà caractéristique en soi mais en plus il donne une idée de la manière dont il impressionnait les gens. Il existe de nombreux portraits de Burton, tous éloquents, mais les descriptions de ceux qui l'ont connu sont elles aussi très intéressantes. Le voyageur et poète Wilfrid Blunt écrivit: "sa façon de s'habiller et son aspect tenaient plus du forçat remis en liberté que d'une personne de bonne réputation. Il me faisait parfois penser à une panthère noire, prisonnière dans une cage mais implacable; d'autres fois, avec son crâne rasé et son physique de fer, il me rappelait cette formidable créature de Balzac, l'ex-forçat Vautrin qui cachait son identité louche sous les habits d'un abbé. En général il endossait un par-dessus noir délavé avec une écharpe en soie noire toute froissée; il ne portait pas de col: avec sa musculature puissante et son thorax démesuré, cet accoutrement le rendait singulier et particulièrement laid; de plus son visage mat, cruel, méfiant avec des yeux semblables à ceux d'une bête féroce produisait une impression sinistre que je n'avais jamais vue...". Le critique Arthur Symons parle d'une "bouche tourmentée par le désir, avec des narines dilatées qui aspiraient je ne sais quels étranges parfums"[5].

Cette description de Blunt et de Symons se réfère à Burton à quarante ans, quand son expérience du monde et quelques cicatrices lui avaient donné un certain charme satanique. Cette physionomie, il la tenait aussi de son hérédité paternelle; son père, en effet, le lieutenant-colonel Joseph Burton avait les mêmes caractéristiques physiques bien particulières. En parlant de lui, Richard Burton disait: "Bien qu'il ait du sang très mélangé, son allure était celle d'un gitan: stature modeste, cheveux noirs, teint olivâtre, nez haut, yeux noirs et pénétrants".

Mais Richard Burton n'hérita pas seulement des yeux noirs et pénétrants de son père anglo-irlandais. Joseph était audacieux et n'avait peur de rien, ce qui obligea sa famille à changer sans cesse de domicile, passant d'une maison à l'autre dans toute l'Europe; ainsi le fils devint-il lui aussi un aventurier.

Richard était incontestablement de la même race que son père pour certaines particularités mais, à d'autres égards, il était très différent. Il était aussi agité intellectuellement. Expulsé d'Oxford pour s'être battu en duel et avoir refusé de se conformer au règlement, il s'enrôla dans l'Infanterie

5. Les romans contemporains donnèrent naissance à de nombreux personnages inoubliables qui semblent avoir quelques traits de Burton (ou est-ce lui qui a quelque chose d'eux?); comme si la personnalité de Byron se fut morcelée et qu'elle eut survécu en Heathcliff (1842), en Rochester (1842) et en d'autres personnages de Edward Bullwer-Lytton ou de Benjamin Disraeli.

indigène de Bombay en 1842 à Baroda. Détesté par ses collègues officiers, il eut plus de succès auprès de la fille "boubou" hindoue qui partageait son bungalow et il fut surnommé "le nègre blanc".

Ce ne fut pas son style de vie privée (qui était plutôt commun) mais sa passion pour la culture et les langues orientales qui lui valurent ce surnom[6]. Cependant sa tendance à s'habiller comme un indigène et son penchant pour les langues indiennes qu'il maniait avec facilité pour passer inaperçu de nuit dans le "bazar" ont eux aussi contribué à l'existence de ce surnom. Ces capacités donnèrent l'idée au commandant Sir Charles Napier d'utiliser Burton comme espion. Ce rôle s'adaptait parfaitement tant à la personnalité qu'aux dons de ce jeune officier: secret et dangereux, il lui faisait toucher de près les pulsions intimes de la vie; lui seul était capable de faire de telles choses. Mais, comme cela arrivait souvent avec Burton, l'éclat qui aveugla les autres finit par se retourner contre lui. Il entreprit beaucoup de choses qui suffiraient à remplir une douzaine de vies, mais souvent, quand tout semblait répondre à ses attentes, il rétrogradait au point de départ. Les démons qui faisaient partie de sa personnalité étaient la cause de tout ceci.

A Karachi, Burton fut chargé par Napier d'enquêter sur les maisons de prostitution fréquentées par les militaires. Les bordels étaient considérés comme un mal nécessaire dans une ville de garnison, mais la siphylis menaçait l'efficacité des militaires et Napier voulait avoir une idée claire sur la situation. Il obtint un résultat qui allait bien au delà de ce à quoi il s'attendait! Le général, fameux pour sa dureté, fut profondément surpris en apprenant que trois bordels étaient organisés pour une clientèle homosexuelle. Sa naïveté dut surprendre Burton qui fut néanmoins chargé de rédiger un rapport exhaustif et réservé afin de faire fermer ces lieux. Le rapport ne pouvait être ni plus exhaustif, ni moins réservé.

Richard Burton avait déjà connu le médecin orientaliste John Steinhaeuser qui partageait sa passion pour l'érotologie exotique. Ce fut bien sûr cette passion commune pour tout ce qui sort de l'ordinaire[7] qui l'a conduit à rédiger un rapport aussi riche de détails sur les pratiques des eunuques, des jeunes gens et sur les requêtes des clients.

L'armée n'a jamais été le lieu qui correspondait à Richard Burton. Lui et l'armée en étaient mutuellement conscients, mais l'armée était alors convaincue d'en savoir davantage sur son compte. Trois ans supplémentaires en Inde furent trop et Burton, déprimé et malade, repartit pour l'Angleterre en 1849.

De 1850 jusqu'à la mort de Burton en 1890, la majeure partie des informations en notre possession est passée à travers le filtre purificateur et efficace de sa femme Isabel. La première partie de la "biographie" de son mari se fonde sur des récits qu'il avait faits lui-même. A partir de 1850, il n'apparaît plus qu'au travers des yeux d'Isabel. Ce fut cette année là qu'ils se rencontrèrent à Boulogne-sur-mer mais ils ne se marièrent qu'en 1860. Le voyant pour la première fois

alors qu'il marchait le long des bastions, Isabel déclara à sa sœur: "Cet homme m'épousera".

Il y a quelque chose d'inévitable dans tous les événements qui touchent Burton.

On a beaucoup écrit sur l'erreur que constituait son mariage avec Isabel, mais cela aussi semble faire partie de son destin. Sur la base de documents, on peut reconstituer les faits suivants: avant de partir pour Boulogne-sur-Mer, Isabel s'était fait prédire l'avenir par une gitane qui s'appelait Hahar Burton: "Tu traverseras la mer" lui dit la gitane, "tu te trouveras dans la ville de ton Destin mais tu ne le sauras pas. Toutes sortes d'obstacles se dresseront devant toi et un ensemble de circonstances complexes t'obligeront à utiliser tout ton courage, toute ton énergie et toute ton intelligence pour les affronter. Ta vie sera difficile comme si tu devais nager sans cesse contre des vagues gigantesques, mais Dieu sera toujours près de toi et tu vaincras toujours. Tu fixeras toujours ton Étoile polaire et tu la suivras sans regarder ni à droite ni à gauche. Tu prendras le nom de notre tribu et tu en seras très fière. Tu seras comme nous, mais beaucoup plus grande que nous. Ta vie ne sera que vagabondages, changements, aventures. Vous serez comme une âme en deux corps dans la vie et dans la mort; vous ne resterez jamais longtemps séparés. Révèle cette prédiction à l'homme que tu épouseras".

La prophétie de la gitane ne pouvait être plus précise: elle avait le don de voyance et entrevit sommairement les grandes lignes de la vie de Burton. Lorsque l'on étudie sa vie, on ne peut en effet échapper à l'idée que les grandes lignes de sa vie étaient définies à l'avance, comme un tapis oriental dont le même motif se répète sans cesse.

Durant la décennie qui suivit, Richard Burton finit deux des plus grandes entreprises de sa vie, celles pour lesquelles il devint célèbre. En 1853, déguisé en pèlerin, il se rendit à La Mecque. Ce n'était pas le premier des infidèles à avoir le courage de courir ce terrible risque, mais le récit de ces expériences (*Pélerinage à Al-Medinah et la Mecque*, 1855) constitue une œuvre merveilleuse.

Puis commença la période de l'exploration de l'Afrique qui culmina avec le plus célèbre de ses voyages: l'expédition entreprise avec John Speke à la recherche de la source du Nil. Après avoir affronté des épreuves et des dangers terribles, Speke et Burton découvrirent le lac Tanganyika. Cette espèce de vaste mer, à l'intérieur du continent, devait sûrement être, selon eux, la source du Nil et, après une rapide reconnaissance, ils revinrent à la ville de Kazeh. Là ils se reposèrent et se préparèrent au voyage de retour vers la côte. Speke cependant voulait continuer l'exploration vers le Nord avant de repartir: le bruit circulait qu'il existait un autre lac. Burton refusa de l'accompagner et Speke dut y aller seul. Le destin se répéta: alors qu'il tenait dans ses mains le succès total, Richard Burton le laissa échapper. En effet ce fut Speke, et non Burton, qui découvrit le lac Victoria, la vraie source du Nil.

Ce ne sera pas la dernière fois qu'une telle situation se répètera. Des années plus tard, alors que l'amertume et la jalousie suscitées par l'expédition du Nil, et la mystérieuse mort de Speke n'étaient plus que de lointains souvenirs et, après avoir accompli une série de missions sur ordre du "Foreign Office" qui n'étaient pas adaptées à ses capacités, il fut nommé consul à Damas. Il s'approchait alors de la

---

6. Quand Burton mourut, il parlait à la perfection au moins quarante langues.
7. Steinhaeuser resta avec son ami durant toute sa vie et il fut le premier avec qui Richard Burton partagea son intérêt de savant pout les sujets exotiques de tous genres. Il ne connut F. F. Arbuthnot, de douze ans plus jeune que lui, qu'à partir de 1853.

Depuis des siècles, à la tombée de la nuit, les felouques (navires) s'amassent le long des rives du Nil. La recherche de la source du grand fleuve constitue le point culminant de la vie d'explorateur de Richard Burton

cinquantaine, ses conditions de santé n'étant pas des meilleures, cela pouvait être le dernier poste idéal pour un passionné d'études arabes et ce fut sans doute un geste de courtoisie de la part de Lord Clarendon. Ne tenant pas compte des merveilleuses possibilités que cet endroit recelait pour lui, il fut muté à Trieste où il mourra dix-huit ans plus tard.

La gitane n'avait pas exagéré: une vie consacrée ''à nager contre des vagues gigantesques''. Submergée par les difficultés de tous genres, Isabel soutenait inlassablement son mari qui devenait toujours plus irascible et intraitable. A Trieste, il étudia des questions en rapport avec le monde entier. Dans une grande salle étaient disposées plusieurs tables; sur chacune d'entre elles s'accumulait le matériel relatif à chaque livre, de telle manière que Burton pouvait passer de l'une à l'autre selon l'humeur du moment, comme il l'avait fait dans le temps, se déplaçant d'un continent à l'autre.

S'ils croyaient l'avoir freiné, il leur aurait vite démontré qu'ils avaient tort et que c'était une folie de penser que ses expéditions étaient terminées. ''Les Secrets des Nuits Arabes'' attendaient d'être découvertes, il y avait des lieux cachés de la littérature hindoue, et lui seul possédait la clé pour pénétrer dans le jardin parfumé...

La porte du bureau de Burton était métaphoriquement, et parfois aussi matériellement close pour Isabel. Cette femme dévote et conventionnelle ne s'intéressait pas au fait de savoir si les Arabes appellent l'anus ''grenade'' ou si l'infibulation est pratiquée par telle ou telle tribu. En revanche, de telles connaissances exotiques intéressaient particulièrement certains savants: les membres de la Kama Shastra Society.

La Kama Shastra Society n'était pas moins mystérieuse que son fondateur. Les fausses pistes et les culs de sac dans lesquels elle s'engageait parfois n'étaient pas seulement dus à l'amour du mystère si cher à Burton, mais à une protection nécessaire pour entreprendre la publication de littérature érotique.

A la fin de l'ère victorienne, les acheteurs de livres formaient un vaste public dont une partie considérable était intéressée par le ''matériel exotique''. Des maisons d'édition, des imprimeries à Londres, à Paris et à Amsterdam publiaient des livres pour des lecteurs de tous niveaux, depuis le pire type de pornographie jusqu'à la littérature érotique et aux œuvres sérieuses écrites par des savants. Le premier à rassembler la bibliographie relative à ce matériel fut Henry Ashbee, un de ceux qui eurent des rapports avec la Société[8].

Le typographe amateur et ami d'Aubrey Beardsley, Léonard Smithers, était lui aussi membre de la Société; les sympathisants étaient Richard Milnes (Lord Houghton) et Algernon Swinburne. Mais le co-fondateur de la Kama Shastra Society de Londres et de Bénarès[9] et co-auteur avec Burton de nombreuses œuvres importantes fut Foster Arbuthnot.

L'aura de succès et d'exaltation qui a toujours entouré Richard Burton a laissé dans la pénombre la contribution de Foster Arbuthnot. Bien qu'elle n'approuvât point leur collaboration littéraire, Isabel se rendait compte de la force du lien qui unissait les deux hommes: quand Richard mourut, elle donna à Arbuthnot une chaîne en or en souvenir de son ''meilleur ami''. On ne sait pas exactement de quelle manière les deux hommes travaillaient ensemble, mais Arbuthnot se considérait plus un compilateur qu'un écrivain, rédigeant une première version approximative de la traduction, revue et commentée ensuite par Burton dans son style inimitable. Cette singulière collaboration entre le gentil et sensible Arbuthnot et Burton fut un succès tant littéraire que financier.

Le dimanche 19 octobre 1890, en rentrant de la messe, Isabel trouva Burton qui travaillait à la dernière page du Jardin Parfumé. Elle ne savait rien à ce sujet, mais il s'agissait d'une nouvelle traduction d'une section complète omise dans la version originale de la Kama Shastra Society qui parlait d'homosexualité et de pédérastie. L'état de santé de Burton déclinait depuis quelque temps: un médecin habitait en permanence avec eux dans leur maison de Trieste. Deux jours plus tôt, il avait raconté à Isabel qu'un oiseau avait tapé du bec sur la fenêtre et il avait fait ce commentaire: ''Ce petit oiseau est de mauvais augure''. Elle avait refusé d'y croire et lui avait fait remarquer que les oiseaux avaient l'habitude de venir prendre de la nourriture sur le bord de la fenêtre. Mystérieusement, Richard répliqua: ''Oui, mais pas à cette fenêtre, à une autre''.

Son destin s'accomplissait, il sentait qu'il allait mourir. Il a dû ressentir un grand plaisir quand il s'aperçut que cette fois-ci le succès ne lui échapperait pas au dernier moment et qu'il n'avait pas été leurré à la fin de sa vie. Il avait terminé son travail sur la nouvelle et très importante section du Jardin Parfumé. Les retouches finales du travail furent apportées précisément ce dimanche-là. Burton mourut avant l'aube du lendemain.

Quand Isabel lut le manuscrit, elle fut prise de panique, craignant pour la réputation de son mari, son Jemmy adoré. Elle jeta au feu tout le manuscrit, plus de mille pages.

---

8. Ashbee s'était attribué le pseudonyme scatologique de 'Pisanus Fraxi'. Certains affirment qu'il est 'Walter', auteur d'une célèbre autobiographie, mais en réalité, il lui manque les caractéristiques nécessaires pour être ce vieux fripon.

9. Un autre point obscur: dans ce cas, c'est la confusion créée autour des dépôts de matériels de Stoke Newington où Smithers avait trouvé un imprimeur 'sûr'. Par miracle Stoke Newington se transforma en l'ancienne ville de Bénarès.

LE

KAMA SOUTRA

DE

VATSYAYANA

L'apprentissage de Dharma, d'Artha et de Kama

L'homme dont la vie dure cent ans, devrait pratiquer Dharma, Artha et Kama à des époques différentes de sa vie, de telle sorte qu'ils soient en harmonie et qu'ils n'entrent pas en conflit l'un avec l'autre. L'homme devrait être éduqué pendant son enfance, se dédier à l'Artha et à Kama pendant sa jeunesse et son âge adulte et pratiquer Dharma dans sa vieillesse en essayant ainsi d'atteindre le Mohsha et de se libérer en vue d'ultérieures transmigrations. Cependant, si on considère les incertitudes de la vie, il pourrait pratiquer ces disciplines à des périodes différentes, selon les nécessités. Mais un point fondamental demeure: il doit mener la vie d'un étudiant en théologie jusqu'à ce que son éducation soit accomplie.

Dharma est l'obéissance à un ensemble d'obligations du Shastra, les Saintes Écritures des Hindous, qui imposent d'accomplir certaines choses, comme par exemple des sacrifices que l'on ne réalise pas généralement parce qu'ils n'appartiennent pas à ce monde et ne laissent aucune trace visible; et de ne pas en accomplir d'autres, comme manger de la viande, que l'on fait souvent parce qu'elles appartiennent à ce monde et qu'elles ont des effets tangibles.

Pour apprendre Dharma, il faudrait appliquer Le Shruti (les Saintes Écritures) et suivre l'exemple des maîtres de cet art.

L'Artha est la voie pour acquérir les arts, la terre, l'or, le bétail, la richesse, des serviteurs et des amis. C'est aussi la protection de ce qui a été acquis et la prospérité des biens que l'on possède.

Pour apprendre l'Artha il faudrait avoir des contacts avec les fonctionnaires royaux et avec des marchands particulièrement experts dans l'art du commerce.

Kama est la jouissance d'objets appropriés à travers les cinq sens (l'ouïe, le toucher, la vue, le goût et l'odorat), avec la participation de l'esprit et de l'âme. Ce plaisir est procuré par le contact particulier entre l'organe du sens et l'objet, la conscience du plaisir qui naît de ce contact s'appelle Kama.

Pour apprendre Kama il faudrait appliquer le Kama Soutra (les aphorismes de l'amour) et suivre l'exemple des autres citoyens.

Après avoir lu les textes des auteurs anciens et en suivant les théories sur la jouissance qui y sont mentionnées, j'ai écrit un traité sur la Science de l'amour.

Ceux qui connaissent bien les vrais principes de cette science tiennent compte non seulement de Dharma, d'Artha, de Kama et de leurs expériences personnelles mais aussi des enseignements d'autrui et n'agissent pas selon la seule impulsion de leur désir. En tant qu'auteur et avec l'autorité qui en découle, j'ai énoncé dans ce livre les erreurs de la science de l'amour et je les ai irrémédiablement condamnées et interdites.

Ce n'est pas forcément parce qu'une action est acceptée par les règles de la science qu'elle est toujours jugée avec indulgence, car dans le domaine de la science certaines règles sont valables seulement dans des cas particuliers. Après avoir lu et étudié les œuvres de Babhravya et d'autres auteurs anciens, et après avoir réfléchi sur le sens profond des règles qu'ils ont établies, Vatsyayana composa, pour le bien de l'humanité, le Kama Soutra, suivant les préceptes des Saintes Écritures; menant l'existence d'un savant théologien, il a vécu complètement absorbé par la contemplation de la Divinité.

Cette œuvre n'est pas destinée à être utilisée comme un simple instrument pour satisfaire nos désirs. Celui qui connaît les vrais principes de cette science, qui tient compte de Dharma, de d'Artha et de Kama et qui respecte les us et coutumes du peuple, réussira sans nul doute à maîtriser ses sens.

En bref, une personne prudente et intelligente, qui met en pratique Dharma et Artha et qui suit Kama sans devenir esclave de ses passions, réussira tout ce qu'il entreprendra.

Les arts et les sciences à étudier

1. La liste étonnante de ces arts a été éliminée à cause de sa longueur; toutefois elle va de la confection des fleurs artificielles à l'émission de musique à l'aide de verres remplis d'eau et à la connaissance des mines et des carrières de pierres ainsi que des opérations militaires.

Il faut ajouter à l'étude des arts et des sciences[1] qui font partie de Dharma et d'Artha celle du Kama Soutra, des arts et des sciences qui lui sont subordonnés. Les jeunes filles aussi, avant le mariage et même après avec l'accord de leur mari, doivent étudier le Kama Soutra avec les arts et les sciences qui y sont associés.

Certains savants ne sont pas d'accord sur ce point; ils affirment que le fait d'exclure les femmes de toute étude des sciences, les exclut automatiquement de celle du Kama Soutra. Mais Vatsyayana pense que cette objection n'est pas justifiée. En effet, si une femme se trouve séparée de son mari et vit dans la misère, elle pourra facilement se maintenir grâce à la connaissance de cet art même dans un pays étranger. Le seul fait de connaître cette science donne un attrait à une femme, même si elle ne peut être pratiquée que dans certaines circonstances. Un homme qui est maître de cet art et qui en plus est beau parleur et expert dans les subtilités de la galanterie, gagne bien vite le cœur des femmes, même s'il les connaît depuis peu.

Positions traditionnelles qui ne peuvent être réalisées que par des experts de yoga (style Grissa, Bengale).

La vie du citoyen

Un homme qui, selon la tradition, a reçu l'éducation nécessaire et qui s'est enrichi grâce aux dons, aux conquêtes, aux acquisitions, aux économies[2] ou aux héritages de ses aïeux, doit s'installer et devenir le maître d'une maison et mener la vie d'un citoyen. Il doit choisir une maison en ville ou dans un grand village, ou près de celle d'hommes respectables ou encore dans un lieu où passe beaucoup de monde. Cette habitation doit être située au bord de l'eau et divisée en plusieurs secteurs destinés à des usages différents. Elle doit être entourée d'un jardin et composée de deux parties, l'une qui donne devant, l'autre derrière. L'appartement interne doit être occupé par les femmes, alors que l'externe, embaumant de précieux parfums, doit contenir un beau lit moelleux à baldaquin, plus bas dans sa partie centrale, recouvert d'un linge blanc immaculé, décoré de guirlandes et de bouquets de fleurs et avec deux coussins, un à la tête et l'autre au pied. A côté, il doit y avoir aussi une sorte de sofa et près de la tête un tabouret sur lequel sont déposés des onguents parfumés pour la nuit, ou bien des fleurs, des vases contenant des fards à paupière et d'autres substances odorantes, des préparations servant à parfumer la bouche et enfin une écorce de cèdre. Près du sofa, par terre, il doit y avoir un récipient pour cracher, un coffret d'ornements et aussi un luth suspendu à une défense d'éléphant, une tablette pour écrire, un vase contenant du parfum, des livres et des guirlandes de fleurs jaunes d'amarante. Non loin du divan, par terre, il doit y avoir un siège rond, une charrette miniature et une petite table pour jouer aux dés; à l'extérieur de cette pièce doivent se trouver des cages d'oiseaux et à l'écart un coin réservé pour filer, graver et pour pratiquer d'autres passe-temps de ce type. Dans le jardin, il doit y avoir des balançoires, une tournante et une normale; une pergola couverte de plantes grimpantes et de fleurs, avec une partie surélevée où l'on peut s'asseoir.

Le matin, le maître de la maison, après s'être levé et avoir satisfait ses besoins, doit se laver les dents, appliquer une petite quantité d'onguent et de parfum sur le corps, se parer d'ornements, se farder les paupières, se colorer les lèvres avec l'alacktaka et se regarder dans un miroir. Puis, après avoir mangé des feuilles de bétel mélangées à d'autres substances qui parfument la bouche, il vaque à ses activités habituelles. Il doit chaque jour prendre un bain et oindre son corps d'huile, tous les trois jours il doit appliquer sur son corps une mousse, tous les quatre jours il doit se faire raser la tête (y compris le visage), et les autres parties du corps tous les cinq ou dix jours. Il faut absolument faire toutes ces choses; il doit aussi faire en sorte d'éliminer la transpiration des aisselles. Les repas doivent être pris durant la matinée, l'après-midi et la nuit, selon les principes de Charayana. Après le petit déjeuner il faut apprendre à parler aux perroquets et aux autres oiseaux, et puis suivre le combat des coqs, des cailles et des moutons. Le maître doit aussi consacrer un peu de temps aux loisirs avec Pitharmardas, Vitas et Vidushakas*, et ensuite il peut faire la sieste. Au réveil, une fois habillé et prêt, le maître de maison doit converser avec ses amis dans l'après-midi. Le soir, il doit attendre dans sa chambre, précédemment décorée et parfumée, l'arrivée de son amante, ou bien il doit envoyer une messagère la chercher, ou bien aller lui-même chez elle. A peine arrive-t-elle, le maître de maison et ses amis lui souhaitent la bienvenue et lui font compagnie conversant affectueusement et de manière plaisante. Ainsi se terminent les tâches de la journée.

Les choses suivantes font partie des diversions et des divertissements:

Fêtes en l'honneur des Divinités   *Cocktails*
Réunions de société des deux sexes   *Promenades en plein air et pique-niques*

Autres divertissements de société

2. Acquérir des biens grâce aux dons est une caractéristique des brahmanes, la caste des sacerdoces; la conquête est associée aux guerriers Kshatryas; les autres moyens sont l'apanage des Vaishyas ou caste des marchands.

* Voir la note 21 p. 66

Le mariage

Quand Kama est pratiqué par des hommes qui appartiennent à l'une des quatre castes selon les règles des Saintes Écritures (c'est-à-dire dans le cadre du mariage légal) avec des vierges de la même caste, cela permet de s'assurer une descendance légitime et une bonne réputation.

Quant une jeune fille est en âge d'être mariée, ses parents doivent l'habiller avec de beaux vêtements et l'emmener où il est plus facile qu'elle soit remarquée. Chaque après-midi, après l'avoir vêtue et ornée avec grand soin, ils doivent l'envoyer avec des compagnes là où ont lieu des manifestations sportives ou bien là où l'on célèbre des sacrifices ou des cérémonies nuptiales, pour qu'elle puisse jouir des avantages que donne la notoriété. Ils doivent aussi recevoir avec des paroles courtoises et des manières amicales ceux qui viennent leur rendre visite, accompagnés par des amis ou des parents, et apparemment animés de pensées prometteuses, pour demander en mariage leur fille; et trouvant un prétexte, après l'avoir habillée avec élégance, ils doivent la leur présenter. En espérant que le sort leur sera favorable, ils fixent un délai pour décider de la date du mariage de leur fille. Quand cette occasion se présentera, les parents de la jeune fille, à l'arrivée des hôtes, les inviteront à prendre un bain et à déjeuner avec eux, et diront: "Chaque chose se fera au moment opportun", et ils ne

L'habitude de l'épilation était considérée comme indispensable par les amants exigeants (Deccan).

Même si Vatsyayana conseillait à son lecteur de se comporter librement, selon ses propres inclinations, il pensait toutefois que le coït oral devait être pratiqué seulement par des "femmes impures et dissolues".

devraient pas pour le moment accepter la demande en mariage, mais renvoyer toute décision à plus tard.

Quand de cette façon l'homme s'est assuré la main de la jeune fille selon les usages locaux ou selon ses désirs, il doit l'épouser conformément aux préceptes des Saintes Écritures suivant l'un des quatre types de mariage[3].

La participation à certains jeux de société (tel ceux où il faut compléter des vers commencés par d'autres), à des mariages ou à des cérémonies propitiatoires n'est possible qu'avec des personnes de même condition et non pas avec des personnes de condition supérieure ou inférieure. Tout le monde sait qu'un homme qui se marie avec une jeune fille de condition supérieure devient ensuite l'esclave de sa femme et de sa famille, et de plus il est blâmé par les sages. D'autre part, quand un mari et sa famille se comportent comme des maîtres envers la femme, c'est un mariage condamnable et les sages le jugent avilissant. Mais quand l'homme et la femme se rendent réciproquement heureux et quand les familles des deux côtés s'estiment, c'est réellement un mariage dans le vrai sens du terme. C'est pour cette raison qu'un homme ne devrait ni se marier avec une femme d'extraction sociale supérieure car il devra s'incliner devant sa nouvelle famille, ni s'abaisser à un mariage avec une personne de rang social inférieur car il sera critiqué par tous. Une jeune fille qui a de nombreux prétendants devra choisir celui qui lui plaît, qui sera complaisant avec elle et qui sera capable de la rendre heureuse. Mais quand des parents donnent leur fille en mariage seulement par avidité, sans tenir compte du caractère ou de l'aspect physique de l'époux, ou quand la jeune fille est donnée à un homme qui a déjà d'autres femmes, elle ne s'attachera jamais à son mari, même s'il est doté des meilleures qualités, à l'écoute de ses désirs, actif, fort, en bonne santé et désireux de lui faire plaisir dans tous les domaines. Il vaut mieux avoir un mari complaisant et avec une grande maîtrise de soi, même pauvre et pas très beau, qu'un mari qui appartient à plusieurs femmes, même s'il est beau et attirant. Les femmes des riches, lorsqu'elles ne sont pas uniques, n'aiment généralement pas leur mari et n'ont aucune intimité avec lui; même si elles jouissent de tous les plaisirs matériels de la vie, elles recherchent cependant l'amitié d'autres hommes. Un homme à la mentalité mesquine, ou déchu de sa position sociale, ou qui voyage beaucoup ne mérite pas d'être marié; ceci est valable aussi pour celui qui a de nombreuses femmes et beaucoup d'enfants ou pour quelqu'un qui est passionné par le sport ou par les jeux de hasard et qui s'occupe de sa femme seulement quand il en a envie. Parmi tous les amoureux d'une jeune fille, le véritable mari est celui qui possède les qualités qu'elle apprécie, et seul un mari de ce genre a véritablement un ascendant sur elle, car il est le mari qu'elle aime.

3. Il faut rappeler que la polygamie faisait partie des habitudes.

Comment gagner la confiance d'une jeune fille

Pendant les trois premiers jours des noces, la jeune femme et son mari doivent dormir par terre, s'abstenir des plaisirs du sexe et manger des aliments insipides sans sel et sans alcali. Pendant les sept jours qui suivent, ils doivent prendre un bain accompagné du son propitiatoire de la musique, ils doivent se parer avec soin, déjeuner ensemble et avoir des égards pour leurs familles et pour tous ceux qui ont participé à leur mariage. Ce comportement est identique pour toutes les castes. La nuit du dixième jour, l'homme doit emmener la jeune femme à l'écart et commencer à lui dire des mots tendres, gagnant ainsi sa confiance. Certains auteurs affirment qu'il ne doit pas lui parler pendant trois jours pour réussir à la conquérir, mais les fervents de Babhravya pensent que si l'homme se tait pendant trois jours, la jeune femme pourrait se démoraliser le voyant ainsi inanimé et pourrait en être affligée et le prendre pour un eunuque. Vatsyayana dit que l'homme doit commencer à la conquérir et à gagner sa confiance, mais en

*L'étude des textes sur l'amour était essentiel si un homme riche avec de nombreuses femmes
voulait les satisfaire toutes (Rajasthan).*

s'abstenant des plaisirs du sexe, du moins au début. Les femmes ont une nature sensible et tendre et ont besoin d'une grande délicatesse au début du rapport amoureux; si un homme qu'elles connaissent à peine les approche violemment, elles peuvent inopinément haïr le rapport sexuel et parfois même en arriver à détester le sexe masculin. Tenant compte de cela, l'homme devra respecter la nature de la femme en adaptant ses approches à la nature féminine et en agissant avec délicatesse. Ainsi il gagnera toujours davantage sa confiance. Ces expédients sont exposés ci-dessous:

Il doit tout d'abord l'enlacer comme elle le préfère mais pour un instant seulement.

Il doit la prendre dans ses bras et la serrer contre la partie supérieure de son propre corps, ceci étant plus facile et plus simple. Si la femme a déjà atteint l'âge adulte ou s'il la connaît depuis quelque temps, il peut l'enlacer à la lueur d'une lampe; mais si les deux ne se connaissent pas ou bien si la jeune fille est encore très jeune, il doit l'enlacer dans l'obscurité.

Si la jeune femme accepte l'étreinte, l'homme doit lui glisser une tamboula, un petit morceau de noix de bétel et des feuilles de bétel dans la bouche; si elle est réticente, il doit la convaincre avec des mots suaves, des implorations, des promesses, se jetant à ses pieds, car toute femme, aussi hostile et rebelle soit-elle, sera toujours touchée de voir un homme agenouillé devant elle. Alors qu'il lui donne la tamboula, il doit l'embrasser doucement et délicatement sur la bouche, sans faire aucun bruit. Quand elle aura cédé, il doit la faire parler; pour l'inciter à commencer, il lui posera des questions sur des choses qu'il ne connaît pas ou qu'il feint de ne pas savoir et auxquelles on peut répondre en quelques mots. Si elle ne parle pas, l'homme ne doit pas l'effrayer mais doit répéter les mêmes questions plusieurs fois sur un ton calme et conciliant. Si elle persiste à ne pas parler, il doit alors insister pour qu'elle réponde car comme dit Ghotakamukha, "toutes les jeunes filles écoutent tout ce que leur disent les hommes, mais souvent elles ne prononcent pas un seul mot". Quand elle est importunée ainsi, la jeune fille doit répondre en hochant la tête, mais si elle s'est querellée avec l'homme en question, elle n'est pas tenue de le faire. Si l'homme lui demande si elle le désire et s'il lui plaît, la jeune femme doit rester silencieuse pendant un long moment, et finalement, après qu'il ait insisté pour avoir une réponse, elle acquiescera d'un signe de la tête. Si l'homme connaissait déjà la jeune femme, il doit converser avec elle par l'intermédiaire d'une amie qui lui est favorable et qui jouit de la confiance de tous les deux; elle soutiendra la conversation entre les deux époux. Dans ce cas, la jeune femme doit sourire, la tête inclinée d'un côté, et si l'amie dit plus de choses qu'elle ne désire, elle doit la reprendre et s'expliquer avec elle. L'amie peut ajouter malicieusement une chose qui n'était pas prévue en précisant: "C'est ce qu'elle a dit", et alors la jeune femme devra chuchoter avec des manières gracieuses "Oh, non, je ne l'ai pas dit", et puis sourire et jeter, à la dérobée, un regard à l'homme.

Si la jeune femme est assez intime avec l'homme, elle doit mettre près de lui, sans rien dire, la tamboula, l'onguent ou la guirlande s'il les a demandés, ou elle peut les fixer sur la partie haute de ses vêtements. Alors qu'elle est occupée à réaliser ces gestes, l'homme doit toucher ses jeunes seins et les presser avec ses ongles tandis qu'il les palpe, et si elle l'en empêche, il doit lui dire : "je ne le ferai plus si tu m'embrasses", et ainsi il se fera embrasser. Pendant qu'elle l'étreindra, il devra lui glisser plusieurs fois les mains sur tout le corps. De temps en temps, il devra l'asseoir sur ses genoux et essayer d'obtenir un consentement toujours plus total mais, si elle ne veut pas céder, il devra l'effrayer en disant "Je te mordrai et te grifferai sur les lèvres et sur la poitrine, et puis je ferai les mêmes marques sur mon corps, et je dirai à mes amis que c'est toi qui les a faites. Qu'est-ce que tu diras alors?" C'est de cette manière et avec d'autres expédients encore, comme l'on fait pour susciter la confiance chez les enfants, que l'homme devra la convaincre de satisfaire ses désirs.

Le sage Suvarnanabha conseille à l'homme, alors qu'il fait l'amour, de presser les parties du corps de la femme sur lesquelles elle pose son regard (Rajasthan).

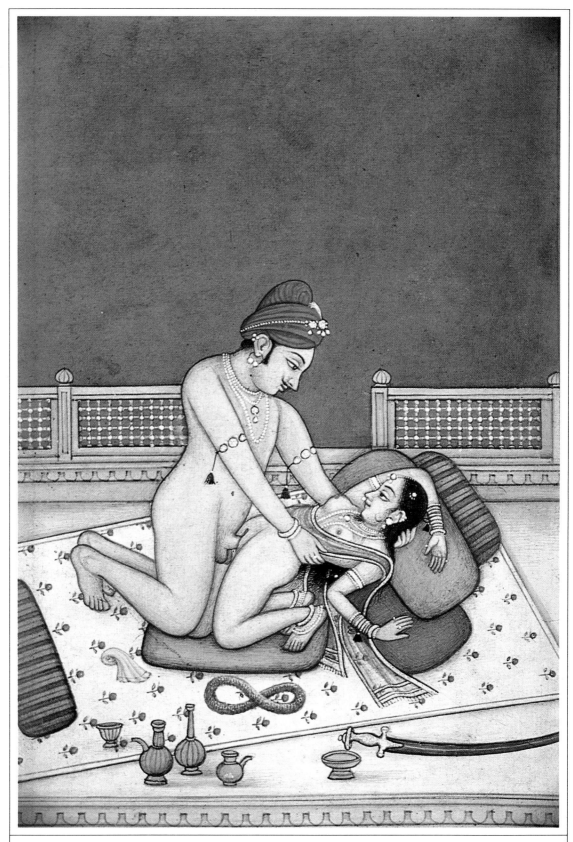

Utiliser l'imagination pour faire l'amour engendre "amour, amitié et respect dans le cœur des femmes"
(Rajasthan).

La deuxième et la troisième nuit, l'intimité sera toujours plus grande et il devra parcourir tout son corps avec ses mains et l'embrasser partout; il devra poser ses mains sur ses cuisses et les caresser, et progressivement il devra atteindre le haut des cuisses. Si elle essaie de l'en empêcher, il devra dire: "Quel mal y a-t-il à faire cela?" et devra la convaincre à céder. Après avoir réussi il devra toucher les parties plus intimes, dénouer la ceinture et les liens de ses vêtements, et, tout en la déshabillant, il devra lui caresser le pli des cuisses nues. Il trouvera mille excuses pour réussir à faire tout cela, cependant il ne devra pas encore passer à l'acte sexuel réel. Il lui enseignera les soixante-quatre arts, lui dira combien il l'aime et lui parlera de tous les espoirs qu'il a mis en elle. Il devra aussi lui promettre fidélité et dissiper toutes ses craintes sur l'existence d'une rivale; enfin, après avoir surmonté toutes les réticences, il pourra l'aimer mais d'une façon telle qu'elle ne soit pas effrayée. Tout ceci permet de gagner la confiance et l'amitié de la jeune fille; il existe, sur ce thème, des versets qui disent:

Un homme dont le comportement tient compte de l'état d'âme d'une jeune femme, doit essayer de la conquérir de manière qu'elle puisse l'aimer et avoir confiance en lui. L'homme n'atteindra son but ni en se soumettant sans réserve aux caprices d'une jeune femme, ni en s'opposant à elle d'une manière trop absolue; il doit donc agir avec discernement. Celui qui sait, d'une part, se faire adorer des femmes et, de l'autre, accroître leur dignité et susciter leur confiance, est destiné à devenir l'objet de leur amour. Mais celui qui néglige une femme, pensant qu'elle est trop récalcitrante, sera déprécié à ses yeux et jugé comme une personne incapable de comprendre les secrets de l'âme féminine. D'autre part, une jeune femme qui a été prise par la force par un homme qui ne comprend pas le cœur des jeunes filles devient nerveuse, malheureuse et déprimée, et commence tout à coup à haïr l'homme qui l'a dominée; puis, si son amour n'est ni compris, ni partagé, elle se désole et commence à détester tous les hommes en général ou bien, haïssant son mari, elle recherche d'autres hommes.

L'épouse vertueuse

Une femme vertueuse qui tient à son mari doit se comporter selon ses désirs comme s'il était un être divin; en accord avec lui, elle doit assurer toute l'organisation de la maison et de la famille. Elle doit maintenir la maison bien propre et mettre des fleurs de diverses variétés dans toutes les pièces, faire luire les sols et donner à l'ensemble de la maison un aspect ordonné et convenable. Elle doit créer un jardin autour de la maison et préparer tout ce qui sert pour les sacrifices du matin, de l'après-midi et du soir.

La femme, qu'elle soit de famille noble, veuve vierge[4] remariée ou concubine, doit mener une vie chaste, dédiée à son mari et consacrée à tout ce qui peut lui procurer du bien-être. Les femmes qui se comportent ainsi acquièrent Dharma, l'Artha et Kama, gagnent une haute position et généralement conservent la dévotion de leur mari.

Les femmes des autres maris

Il est possible que les hommes aient à fréquenter les femmes d'autres hommes, mais cela n'est admissible que pour des raisons particulières et non pour satisfaire le désir charnel[5]. Avant toute chose il faut prendre sérieusement en compte l'éventualité d'accueillir chez soi ces femmes, prévoir si elles sont ou non adaptées pour la cohabitation, évaluer le danger qui peut dériver de ces unions et leurs

4. Il s'agit probablement d'une jeune fille mariée durant l'enfance et dont le mari est décédé avant qu'elle ait atteint la puberté (Burton).

5. Vatsyayana énumère avec une froide objectivité les raisons acceptables pour l'adultère comme par exemple ces attitudes de l'homme: "Si je m'unis à cette femme, son mari mourra et je deviendrai ainsi le maître de ses vastes richesses qui me tentent tant..." ou encore "Ce mari a profané la chasteté de ma femme, je dois donc lui restituer l'affront en séduisant les siennes".

conséquences futures. Un homme peut recourir à la femme d'un autre pour sauver sa propre vie quand il s'aperçoit que son amour pour elle passe continuellement d'un degré d'intensité à un autre. Il y a dix degrés dont les caractéristiques sont exposées ci-dessous:

1. *Amour de ses yeux*
2. *Attachement spirituel*
3. *Souci constant*
4. *Incapacité de dormir*
5. *Dépérissement du corps*
6. *Fuite des objets de jouissance*
7. *Abandon de toute retenue*
8. *Folie*
9. *Évanouissement*
10. *Mort*

Les raisons pour lesquelles une femme peut refuser la cour d'un homme sont les suivantes:

1. *Affection pour son mari*
2. *Désir d'avoir des enfants légitimes*
3. *Manque d'occasions propices*
4. *Colère pour la familiarité avec laquelle l'homme s'est adressé à elle*
5. *Différence de classe sociale*
6. *Aucune fiabilité parce que l'homme voyage beaucoup*
7. *Crainte que l'homme soit lié à une autre personne*
8. *Crainte que l'homme révèle ses intentions secrètes*
9. *Crainte que l'homme soit trop attaché à ses amis et les prennent trop en considération*
10. *Crainte qu'il ne soit pas sérieux*
11. *Embarras à cause du niveau social élevé de l'homme*
12. *Peur qu'il soit trop puissant et impétueux dans sa passion (dans le cas d'une femme "biche")*
13. *Embarras parce qu'il est trop intelligent*
14. *Crainte car elle a vécu pendant un certain temps avec lui seulement amicalement*
15. *Mépris pour son ignorance du monde*
16. *Méfiance pour sa tendance mesquine*
17. *Dégoût pour son manque de sensibilité envers son amour pour lui*
18. *Souci qu'il soit un homme "lièvre" ou peu passionnel (dans le cas d'une femme "éléphant")*
19. *Crainte qu'il puisse avoir des problèmes à cause de sa passion*
20. *Désespoir pour ses propres imperfections*
21. *Crainte d'être découverte*
22. *Déception à la vue de ses cheveux gris et de son aspect négligé*
23. *Crainte qu'il ait été engagé par son mari pour mettre sa fidélité à l'épreuve*
24. *Crainte qu'il ait trop de scrupules moraux.*

Les femmes du harem royal et la manière de conserver sa propre épouse

Les femmes du harem royal ne peuvent ni voir ni rencontrer des hommes, parce qu'elles sont rigoureusement surveillées et ne peuvent pas non plus se procurer des plaisirs réciproquement comme je vais vous l'expliquer.

Après avoir déguisé en homme les filles de leur nourrices, de leurs amies ou des domestiques, elles obtiennent ce qu'elles désirent en se servant de bulbes, de racines ou de fruits à forme de linga, ou bien elles se couchent sous la statue d'un homme dont le linga est visible et dressé.

"Parmi tous les amoureux d'une jeune-fille le seul véritable mari est celui qui possède les qualités qu'elle apprécie... parce qu'il est le mari qu'elle aime" (Rajasthan).

Certains souverains compréhensifs, pour satisfaire les désirs de leurs femmes, même s'ils ne les désirent pas, absorbent ou s'appliquent des préparations médicamenteuses qui leurs permettent de faire l'amour avec de nombreuses femmes en une seule nuit. D'autres font l'amour avec plus de spontanéité et jouissent seulement avec les femmes qui leur plaisent plus particulièrement; d'autres encore rencontrent leurs femmes selon des règles préétablies, chacune à son tour.

Avec l'aide des servantes, les femmes du harem ont l'habitude d'introduire dans leurs appartements des hommes déguisés en femme. Les servantes et les filles des nourrices qui participent au secret doivent faciliter l'entrée des hommes dans le harem; elles doivent leur faire prendre conscience de leur chance et leur garantir une entrée facile au palais et les aider à en sortir, en leur décrivant l'immensité de la construction, en les rassurant tout en évoquant l'inattention des sentinelles et la négligence des surveillants qui doivent contrôler les femmes du souverain. Mais ces femmes ne devraient jamais pousser un homme à entrer dans le harem en lui donnant des informations erronées, parce que cela pourrait être la cause de sa ruine.

En général les hommes réussissent à entrer dans le harem en profitant de diverses circonstances: lorsque des biens arrivent au palais et en sortent, fêtes durant lesquelles on consomme des boissons, ou lorsque les servantes sont pressées, lorsque certaines femmes du harem royal changent de résidence, ou lorsque les femmes du souverain se promènent dans les jardins et dans les foires ou bien encore en l'absence du souverain qui est parti pour un long pèlerinage. Les femmes du harem n'ont pas de secret entre elles et poursuivant le même but, elles s'entraident. Un jeune homme qui fait l'amour avec toutes ces femmes, et qui est donc un bien commun, réussit à maintenir ce rapport tant qu'il reste réservé et que personne n'est au courant à l'extérieur.

C'est ainsi que se comportent les femmes des autres.

Et c'est pour cette raison qu'un mari doit surveiller sa femme.

Les disciples de Babhravya conseillent à l'homme de favoriser l'amitié entre sa femme et une jeune fille qui pourrait lui raconter les secrets d'autres personnes et savoir ainsi quelque chose sur la chasteté de cette femme. Mais pour Vatsyayana, du fait que les personnes de mauvaise compagnie ont toujours du succès auprès des femmes, un homme ne devrait pas être la cause de la corruption de sa propre femme innocente en lui mettant à ses côtés une femme malhonnête.

Les raisons de la perte de chasteté de la part d'une femme sont les suivantes:

Vie continuellement en société et en compagnie
Manque de toute restriction
Habitudes de débauche du mari
Liberté excessive dans ses relations avec d'autres hommes
Vie à l'étranger
Absences prolongées et continuelles du mari
Mari qui détruit son amour et ses sentiments
Compagnie de femmes de mauvaise vie
Jalousie du mari.

Sur ce sujet, il existe aussi des versets:

"Un homme habile, qui a appris dans le Shastra comment conquérir la femme des autres, n'est jamais dupé par ses propres femmes. Cependant personne ne doit utiliser ces moyens pour séduire la femme des autres; d'abord parce que cela n'aboutit pas toujours et surtout parce que cela peut souvent causer des désastres et la destruction de Dharma et Dharta. Ce livre, qui est conçu pour le bien de l'homme et qui lui explique comment garder ses propres femmes, ne devrait pas être utilisé comme un instrument pour conquérir les femmes des autres".

L'union sexuelle

Il existe trois catégories d'hommes: l'homme-lièvre, l'homme-taureau et l'homme-cheval, selon la taille du propre linga.

Les femmes, elles aussi, selon la profondeur du yoni, peuvent être femme-biche, femme-jument ou femme-éléphant.

Il y a donc trois sortes d'union équilibrées si les organes ont la même dimension et six unions déséquilibrées si les dimensions ne sont pas en harmonie, et donc neuf sortes d'union en tout.

Les unions équilibrées sont: lièvre-biche, taureau-jument, cheval-éléphant. Les unions déséquilibrées sont: lièvre-jument, lièvre-éléphant, taureau-biche, taureau-éléphant, cheval-biche, cheval-jument.

Dans ces unions déséquilibrées, lorsque l'homme dépasse sa compagne au niveau des dimensions, son union avec une femme qui vient juste après lui dans la classification est appelée union élevée et peut être de deux sortes; son union avec la femme qui est plus éloignée de sa dimension est appelée union très élevée et est d'un type seulement. Quand c'est la femme qui a des dimensions plus grandes que l'homme, son union avec un homme de la catégorie suivante est appelée union basse et est de deux types, alors que celle avec la catégorie plus éloignée est dite union très basse et est d'un seul type.

Autrement dit, le cheval et la jument, le taureau et la biche forment les unions élevées, alors que le cheval et la biche forment l'union très élevée. Du côté des

Bas-relief illustrant le type de comportement pratiqué lors des orgies que Vatsyayana attribue aux jeunes-gens du Gramaneri: "l'un la tient, un autre en jouit, et un troisième se sert de sa bouche...".

Les hommes Hindous de haute conditions sociale aimaient se faire représenter alors qu'il faisaient l'amour avec leur femme (Pahori, École Sikh).

femmes par contre, l'éléphant et le taureau, la jument et le lièvre représentent les unions basses et l'éléphant et le lièvre forment l'union très basse.

Il existe donc neuf sortes d'union selon les dimensions. Les unions équilibrées sont les meilleures, alors que les très élevées et les très basses sont les pires. Les autres sont d'une qualité intermédiaire, mais les unions élevées sont meilleures[6] que les basses.

Il existe aussi neuf types d'union selon l'intensité de la passion et du désir charnel. Les trois unions équilibrées sont celles où la passion des deux partenaires a le même degré d'intensité: faible, moyenne ou intense. Les unions déséquilibrées sont la combinaison de passion faible-moyenne, faible-intense, moyenne-faible, moyenne-intense, intense-faible et intense-moyenne.

Un homme est déclaré de faible passion si son désir au moment de l'acte sexuel n'est pas grand, si l'émission du sperme est insuffisante et s'il ne peut répondre aux étreintes fougueuses de sa compagne.

Ceux qui ont un tempérament différent du précédent, sont appelés des hommes de moyenne passion, alors que les hommes à l'intense passion sont pleins de désirs.

Les mêmes critères sont utilisés pour les femmes selon les trois degrés de sensibilité déjà décrits.

Enfin, il existe encore trois sortes d'hommes et de femmes selon la durée de l'union sexuelle, qui peut être de courte durée, de durée moyenne ou de longue durée; ici aussi, comme dans les cas précédents, il y a neuf types d'unions possibles.

Cependant les avis divergent en ce qui concerne la femme et il faut s'attarder un instant sur ce point.

Auddalika[7] dit: "Les femmes n'émettent pas de semence comme les hommes. Les hommes satisfont leur désir alors que les femmes, grâce à la prise de conscience de leur désir, ressentent un certain plaisir qui les satisfait, mais il leur est impossible d'expliquer la nature de ce plaisir. Ceci est évident car, dans le rapport, les hommes sont satisfaits après l'éjaculation, alors qu'il n'en est pas ainsi pour les femmes".

Cette opinion doit toutefois être rejetée si l'on considère cette situation: si l'homme a un rapport de longue durée, il est aimé davantage par la femme, mais si l'union est de brève durée, la femme est mécontente. Ceci démontre, pour certains, que la femme aussi émet un 'suc d'amour'[8].

Mais cette opinion ne tient pas debout, car s'il est vrai qu'il faut du temps pour satisfaire le désir d'une femme, et si elle jouit pendant tout ce temps, il est naturel qu'elle désire que ce plaisir dure le plus longtemps possible. A ce sujet on citera ce verset:

"La sensualité, le désir et la passion des femmes se satisfont grâce à l'union avec les hommes et le plaisir qui dérive de cette prise de conscience est identifié à leur satisfaction".

Les disciples de Babhravya[9] disent qu'au contraire les femmes produisent une sécrétion du début à la fin de l'acte sexuel, et il est juste qu'il en soit ainsi car si cette humeur n'existait pas il n'y aurait pas non plus l'embryon.

Cette théorie est réfutée par ceux qui disent qu'au début du rapport sexuel, la passion de la femme est moyenne et qu'il semblerait qu'elle soit incapable de soutenir la fougue vigoureuse de son amant; cependant elle augmente graduellement jusqu'à ce que la femme perde la conscience de son corps, puis qu'à un certain moment, elle désire que l'union finisse.

Cette objection n'est pas fondée, car, même dans les objets les plus communs qui tournent avec une grande énergie, comme le tour du potier ou la toupie, on remarque que le mouvement est d'abord lent, puis devient progressivement très rapide. De la même façon, étant donné que la passion de la femme augmente graduellement, quand elle a émis toute l'humeur, elle désire interrompre le rapport. A ce sujet un verset dit:

6. La sexologie moderne a l'habitude de minimiser l'importance de la dimension des organes génitaux, car à l'aide d'artifices et grâce à l'amour, les inégalités peuvent se résoudre même si elles sont extrêmes. Burton ajouta cette note: "On dit que les unions élevées sont meilleures que les basses car dans le cas des premières, l'homme peut satisfaire sa passion sans faire de tort à sa compagne, alors que dans les dernières il est difficile de satisfaire la femme".

7. C'est le nom de famille du sage Shvetaketu, l'une des sources de Vatsyayana qui réduisit à 500 les 1000 chapitres originaux de Nandi sur l'amour (et les résuma).

8. Beaucoup d'écrivains de l'ère victorienne et certains des premiers écrivains underground décrivent 'l'éjaculation' féminine, et il semble qu'il y ait eu la conviction répandue que les femmes, non moins que les hommes, produisent une sécrétion au moment de l'orgasme. La persistance de cette croyance erronée est un casse-tête, car les hommes experts en matière devraient connaître la différence entre lubrification et éjaculation. Le mystère n'a jamais été expliqué de manière satisfaisante.

9. Ce sage originaire de la région au sud de Delhi réduisit l'œuvre de Auddalika à 150 chapitres.

Cette série de peintures délicates faites sur soie (ci-dessus et sur les deux pages suivantes) illustrent certains des plaisirs les plus faciles et moins acrobatiques dont les amants peuvent jouir (Rajasthan).

"L'émission du sperme de l'homme survient seulement à la fin du rapport, alors que la sécrétion de la femme coule sans arrêt, et après l'émission des deux liquides, ils désirent interrompre l'union".

En conclusion, Vatsyayana affirme que le liquide de la femme est émis de la même manière que celui de l'homme. S'il en est ainsi quelqu'un pourrait se poser cette question: si les hommes et les femmes sont des êtres semblables et produisent le même effet, pourquoi ont-ils des fonctions différentes?

Vatsyayana dit qu'il en est ainsi car le comportement et la conscience du plaisir sont différents chez l'homme et chez la femme. La différence de comportement qui fait que les hommes jouent un rôle actif et les femmes un rôle passif est dû à la nature de l'homme et de la femme, sinon le sujet actif pourrait selon les cas devenir passif et vice-versa. De cette différence de comportement découle la différence de la conscience du plaisir. En effet l'homme pense: "Cette femme est unie à moi", et la femme pense: "Moi, je suis unie à cet homme"[10].

On peut alors se demander: si les comportements des hommes et des femmes sont différents, il doit forcément y avoir une différence au niveau du plaisir qu'ils éprouvent et telle est peut-être la cause de cette inégalité.

Mais cette objection n'est pas fondée, car les sujets passifs et actifs étant différents, il existe un motif à ce comportement dissemblable; mais il n'y a aucune raison pour qu'il existe une différence au niveau du plaisir qu'ils éprouvent, car ils ressentent tous les deux du plaisir dans l'acte sexuel.

Sur ce sujet on pourrait objecter que, lorsque des personnes diverses font la même chose, on se rend compte qu'à la fin ils obtiennent le même résultat, alors que dans le cas des hommes et des femmes, on observe que chacun réalise son propre but, chacun de son côté, et ce fait s'oppose à l'affirmation précédente. Mais ceci n'est pas exact, car on trouve parfois que les deux choses sont faites en

10. Frank Harris connaissait Burton et ce n'est pas étonnant qu'ils aient lu ensemble le Kama Soutra et qu'ils en aient déduit cette interprétation des différences psychologiques entre les femmes et les hommes utilisée dans le livre *My Life and Loves* (Ma vie et mes amours).

même temps comme, par exemple, dans le combat entre deux moutons. Il reçoivent tous les deux le coup sur la tête au même instant. Et il se passe la même chose quand on se lance de l'un à l'autre une boule en bois, et aussi lors d'un combat de lutteurs. Mais, si dans ce cas là on dit que les choses dont on parle sont du même genre, on doit répondre que c'est aussi le cas pour les hommes et les femmes, la nature des deux personnes étant identique. Comme la différence réside dans leur conformation, il est logique que l'homme éprouve le même genre de plaisir que la femme.

Il existe aussi un verset à ce sujet:

"Hommes et femmes, ayant la même nature, jouissent du même genre de plaisir, et donc l'homme devrait épouser une femme qui puisse l'aimer pour toujours".

Ayant ainsi démontré que le plaisir des hommes et des femmes est de même nature, on peut parler maintenant de l'observation sur la durée; il y a neuf types d'union sexuelle tout comme il existe neuf types d'union si l'on prend en compte l'impétuosité de la passion.

Etant donné qu'il existe neuf types d'union si l'on tient respectivement compte des dimensions, de la force de la passion et de la durée du rapport, selon la combinaison de ces facteurs, on aura divers types d'union. Ainsi, pour chaque type particulier d'union sexuelle, les hommes doivent utiliser les expédients qui leur semblent les plus adaptés à la situation.

La première fois qu'il accomplit l'acte sexuel, la passion de l'homme est intense et la durée est brève, mais lors des unions qui suivent dans la même journée, il se passe le contraire. Pour la femme c'est la situation opposée, car la première fois sa passion est faible et la durée est longue, mais dans les occasions successives de la même journée, sa passion s'intensifie et le temps pour la satisfaire devient plus bref.

Des divers types d'amour

Les hommes de lettres pensent que l'amour peut-être de quatre sortes:
1. *L'amour acquis par une habitude constante*
2. *L'amour qui découle de l'imagination*
3. *L'amour qui découle de la confiance*
4. *L'amour qui résulte de la perception d'objets externes.*

L'amour qui découle de l'accomplissement constant et continu d'un certain acte est appelé amour acquis à travers une habitude et une pratique constantes, comme par exemple l'amour du rapport sexuel, l'amour pour la chasse, l'amour de la boisson, l'amour pour les jeux de hasard, etc...

L'amour porté à des choses auxquelles nous ne sommes pas habitués, et qui provient entièrement des idées, est appelé amour dérivant de l'imagination, comme par exemple l'amour que certains hommes, femmes et eunuques nourrissent pour l'Auparishtaka, c'est-à-dire le rapport oral, ou bien l'amour qui se limite aussi à certaines manifestations comme des enlacements, des baisers, etc...

L'amour réciproque qui s'est avéré vrai, quand l'un considère l'autre comme partie intégrante de lui-même, ceci est appelé par les sages amour, qui dérive de la confiance.

L'amour qui découle de la perception d'objets externes est évident et connu de tout le monde, car le plaisir qu'il offre est supérieur à la jouissance donnée par les autres types d'amour, lesquels existent de manière autonome. Ce qui a été dit dans ce chapitre sur le thème de l'union sexuelle est suffisant pour les sages; mais pour édifier les ignorants, le même argument sera traité maintenant plus en détail.

L'enlacement ou les 'Soixante-quatre'

Cette partie du Kama Shastra qui traite de l'union sexuelle est aussi appelée Soixante-quatre (Chatushshashti). Certains auteurs anciens affirment qu'elle porte ce titre parce qu'elle comprend soixante-quatre chapitres. D'autres pensent que, puisque l'auteur de cette partie se nomme Panchala et que la personne qui déclamait cette section du Rig Veda dite Dashatapa, composée de soixante-quatre versets, se nomme elle aussi Panchala, le nom 'Soixante-quatre' a été donné à cette partie de l'œuvre en l'honneur du Rig Veda. Les disciples de Babhravya, d'autre part, disent que cette partie comprend huit thèmes: enlacer, embrasser, griffer avec les ongles ou les doigts, mordre, se coucher, émettre des sons variés, jouer le rôle de l'homme et l'Auparishtaka ou rapport oral. Comme chacun de ces thèmes présente huit possibilités, et comme huit fois huit fait soixante-quatre, cette section s'appelle justement 'Soixante-quatre'. Mais Vatsyayana soutient que cette partie s'occupe aussi des sujets suivants: coups, cris, actes de l'homme pendant le rapport sexuel, divers types de rapport et d'autres choses encore; le nom 'Soixante-quatre' aurait dès lors été donné au hasard. Comme on dit par exemple: "Cet arbre est 'Saptaparna' ce qui signifie qu'il a sept feuilles, cette offre de riz est 'Panchavarna' ce qui signifie qu'elle a cinq couleurs", mais l'arbre n'a pas sept feuilles, pas plus que le riz n'a cinq couleurs.

Toutefois la section 'Soixante-quatre' sera traitée maintenant en commençant par l'enlacement qui en est le premier sujet.

Les domestiques préparent une femme pour la rencontre avec son amoureux:
"les jeunes-filles, elles aussi, devraient étudier le Kama Soutra" (Rajasthan).

L'enlacement indique l'amour réciproque d'un homme et d'une femme qui sont ensemble et peut être de quatre types:

Touchant   *Piquant*   *Frottant*   *Pressant*

Dans chaque cas, le sens même du mot précise la nature de l'action effectuée.

Lorsqu'un homme, sous n'importe quel prétexte se met face ou à côté d'une femme la touchant avec son propre corps, c'est le cas de l'enlacement touchant.

Quand une femme qui se trouve dans un lieu isolé se baisse comme pour ramasser quelque chose, et effleure un homme assis ou debout, le piquant, en quelque sorte, avec le sein, et que l'homme à son tour s'en saisit, c'est le cas de l'enlacement piquant.

Ces deux types d'enlacement décrits n'existent qu'entre des personnes qui ne parlent pas encore librement entre elles.

Quand deux amoureux se promènent ensemble dans l'obscurité, dans un lieu public ou de rencontre, ou dans un endroit isolé et qu'ils frottent leur corps l'un contre l'autre, nous avons l'enlacement frottant.

Quand, dans une situation analogue au cas précédent, l'un des deux amants pousse avec force l'autre contre un mur ou un pilier, on a l'enlacement pressant.

Ces deux derniers types d'enlacement sont réservés à ceux qui connaissent leurs intentions réciproques.

après avoir décrit, avec de nombreux détails, comment séduire les femmes d'autrui, Vatsyayana met en garde contre le fait que "souvent cela cause des désastres" comme dans cette scène dramatique (Rajasthan).

Au moment de la rencontre, ces quatre types d'enlacement sont utilisés:

Jataveshtitaka (l'entortillement d'une plante grimpante)
Vrikshadhirudhaka (grimper sur un arbre)
Tila-Tandulaka (le mélange des graines de sésame et de riz)
Kshiraniraka (l'enlacement du lait et de l'eau)

Quand une femme s'enlace à l'homme comme une plante grimpante qui s'entortille autour d'un arbre, qu'elle attire vers lui sa tête avec le désir de le baiser, en émettant de légers cris, et qu'elle l'embrasse en le regardant amoureusement, cet enlacement est comparé à l'entortillement d'une plante grimpante.

Quand une femme, après avoir mis le pied sur celui de son amoureux et appuyé l'autre sur une de ses cuisses, lui passe un bras autour du dos et enroule l'autre autour de son épaule en chantonnant à mi-voix et en roucoulant, désirant presque grimper sur lui pour qu'il l'embrasse, l'enlacement est semblable à l'acte de grimper sur un arbre.

Pendant ces enlacements l'amant reste debout.

Quand des amants sont couchés sur un lit, tout en frottant leurs corps l'un contre l'autre et en s'enlaçant si fortement que les bras et les jambes s'emmêlent, cet enlacement est comparé au mélange des graines de sésame et de riz.

Quand un homme et une femme s'aiment passionnément et que, indifférents à la douleur et aux blessures, ils s'embrassent comme s'ils désiraient se pénétrer

"Un homme expert dans les soixante-quatre arts est considéré avec amour par sa propre femme, par la femme des autr et par les courtisanes" (Pahori, École Sikh).

l'un l'autre tandis que la femme est soit assise sur les genoux de l'homme, soit lui fait face, soit encore est au lit, on a dans ce cas l'enlacement semblable au lait et à l'eau.

Ces deux types d'enlacement accompagnent l'acte sexuel.

Ainsi Babhravya nous a décrit huit types d'enlacement.

Survarnanabha[11] en outre nous présente quatre façons d'enlacer certaines parties du corps:

L'enlacement des cuisses
L'enlacement du jaghana, la partie qui va du nombril aux cuisses
L'enlacement du sein
L'enlacement du front

Quand l'un des amants serre avec force une ou les deux cuisses de l'autre entre les siennes, on a l'enlacement des cuisses.

Quand l'homme étreint le jaghana, ou partie centrale de la femme, contre le sien, qu'il la chevauche pour la pénétrer et qu'il la griffe avec les ongles ou les doigts, la mord, la frappe ou l'embrasse, tandis que les cheveux de la femme sont dénoués et fluides, on a l'enlacement du jaghana.

Quand l'homme appuie sa poitrine conte le sein de la femme en serrant fortement, on a l'enlacement du sein.

Quand l'un des amants touche la bouche, les yeux et le front de l'autre avec sa bouche, ses yeux et son front, on a l'enlacement du front.

Certains soutiennent que la toilette et le massage[12] représentent une sorte d'enlacement, parce qu'on le fait en touchant le corps. Mais Vatsyayana pense que la toilette a des moments et des intentions différents et cette différence de nature fait qu'elle ne peut rentrer dans la catégorie des enlacements.

A ce sujet il existe les versets suivants:

"Le thème de l'enlacement est d'une nature telle que les hommes qui s'informent sur ce sujet, qui en entendent parler ou qui en discutent finissent par en éprouver le désir. Il y a d'autres types d'enlacement qui ne sont pas cités dans le Kama Shastra, mais qui doivent être pratiqués pendant l'union s'ils peuvent, d'une manière ou d'une autre, accroître l'amour et la passion. Les règles du Shastra sont valables jusqu'au moment où la passion de l'homme est d'une intensité modérée, mais quand la magie de l'amour est en action rien ne compte plus, ni le Shastra ni ses préceptes".

Le baiser

Certains affirment qu'il n'existe aucun ordre préétabli pour l'enlacement, le baiser, l'étreinte, le fait de griffer avec les ongles ou les doigts, mais tout ceci doit se faire avant l'union sexuelle, alors que les coups et les émissions de sons variés accompagnent généralement l'union à proprement parler. Mais Vatsyayana pense que tous ces actes peuvent avoir lieu à tout moment parce qu'il n'existe ni temps ni règles dans l'amour.

Au moment du premier rapport, le baiser et les autres manifestations d'amour déjà citées devraient être utilisées avec modération: elles ne doivent pas se prolonger et doivent se pratiquer alternativement. Les fois suivantes, cependant, on peut faire le contraire et il n'est plus nécessaire de se modérer: elles peuvent se prolonger et être utilisées ensemble pour enflammer la passion.

Les parties du corps qu'il faut embrasser sont: le front, les yeux, les joues, le cou, la poitrine, les seins, les lèvres et l'intérieur de la bouche. De plus, les gens

11. Sage de la période Mauryan qui commente l'œuvre de Babhravya.

12. L'importante question de l'hygiène personnelle fut élevée au niveau d'une obligation rituelle par les Hindous de la caste supérieure: la toilette régulière et l'application d'onguents parfumés pouvaient être réalisées par des spécialistes (avec les implications érotiques qui ont toujours été associées aux bains dans toutes les cultures) ou entre personnes intimes, appartenant à la même condition sociale, comme signe de politesse.

Une vie faite de beautés et de plaisirs, avec des soucis plutôt différents de ceux du Duc de Berry illustrés dans Les Très Riches Heures *(Inde Méridionale, style Tamil).*

du pays de Lat ont l'habitude d'embrasser aussi ces parties: l'attache des cuisses, les bras et le nombril. Mais Vatsyayana pense que, même si le baiser sur ces points est pratiqué par ces populations comme preuve de l'intensité de leur amour et conformément aux coutumes de leur pays, il n'est pas opportun d'étendre de telles pratiques.

Quand il s'agit d'une jeune femme il existe trois sortes de baisers:

Le baiser symbolique   *Le baiser frémissant*   *Le baiser touchant*

Quand une jeune femme se contente d'effleurer avec la bouche celle de son amant, sans rien faire d'autre, il s'agit d'un baiser symbolique.

Si la jeune femme se laisse aller en oubliant un peu de sa timidité et désire toucher la lèvre de l'amant qui se presse contre sa bouche, entrouvrant donc la lèvre inférieure sans bouger la supérieure, on a le baiser frémissant.

Quand la jeune femme effleure avec la langue les lèvres de son amant et, tenant les yeux fermés, pose ses mains sur celles de son compagnon, on a le baiser touchant.

D'autres auteurs décrivent les quatre types de baisers suivants:

Le baiser droit   *Le baiser avec soulèvement du visage*
Le baiser incliné   *Le baiser avec pression*

Quand les lèvres des deux amants sont en contact direct, c'est un baiser droit.

Quand les têtes des deux amants sont inclinées et qu'ils tendent leurs lèvres l'un vers l'autre, c'est un baiser incliné.

Quand l'un des deux soulève le visage de l'autre en lui tenant la tête et le menton avec les mains et en l'embrassant, c'est un baiser à visage soulevé.

Enfin, quand l'un des amants comprime très fortement la lèvre inférieure de l'autre, c'est le baiser avec pression.

Il existe encore une cinquième sorte de baiser appelé 'baiser pressé avec force' qui se fait en tenant entre deux doigts la lèvre inférieure, puis il faut la toucher avec la langue et la comprimer avec les lèvres.

Les amants peuvent jouer et parier pour savoir qui réussira en premier à prendre les lèvres de l'autre. Si la femme perd, elle doit feindre de pleurer, se détacher de l'amant en agitant les mains, s'éloigner et discuter avec l'homme en disant : "Recommençons le pari". Si elle perd une seconde fois, elle doit sembler doublement déçue. Mais elle se vengera quand l'amoureux est inattentif ou endormi, elle prendra sa lèvre inférieure et la serrera entre ses dents de façon qu'elle ne puisse pas lui échapper; puis elle rira, fera beaucoup de bruit, plaisantera avec son amoureux, dansera dans toute la pièce et dira ce qui lui passera par la tête en plaisantant, en fronçant les sourcils et en roulant les yeux. Tels sont les paris et les disputes au sujet des baisers, mais il en est ainsi aussi pour les pressions, les marques des doigts et des ongles, les morsures et les coups. Mais ces pratiques sont l'apanage des hommes et des femmes très sensuels.

Quand un homme embrasse la lèvre supérieure d'une femme, alors qu'elle, en échange, lui embrasse la lèvre inférieure, c'est le baiser de la lèvre supérieure.

Quand l'un des deux prend les deux lèvres de l'autre entre les siennes, c'est le baiser séduisant. Cependant une femme n'utilise ce baiser qu'avec un homme sans moustaches. Et si à l'occasion d'un tel baiser, l'un des amants touche les dents, la langue et le palais de l'autre avec sa propre langue, cela s'appelle le combat de langue. De la même façon on peut pratiquer l'usage d'exercer une pression avec les dents sur la bouche de l'autre.

Il y a quatre sortes de baisers: modéré, contracté, donné avec force et délicat selon les parties du corps qui sont embrassées; à chaque partie du corps est adapté un type particulier de baiser.

Quand une femme regarde le visage de son amant endormi et l'embrasse pour lui montrer ses intentions et son désir, ce baiser s'appelle le baiser qui éveille l'amour.

Quand une femme embrasse son amant pour le distraire lorsqu'il est occupé à ses affaires, lorsqu'ils se disputent ou lorsqu'il regarde autre chose, ce baiser est appelé baiser qui détourne l'attention.

Quand l'amant rentre tard la nuit et embrasse son amante endormie dans son lit afin de mesurer son désir, ce baiser est appelé baiser de l'éveil. Dans ce cas, la femme peut feindre de dormir au moment de l'arrivée de l'homme afin de connaître ses intentions et de s'assurer son respect.

Quand une personne embrasse l'image de la personne aimée reflétée dans un miroir ou dans l'eau, ce baiser est appelé le baiser qui révèle les intentions.

Quand une personne embrasse un enfant tenu dans les bras, ou un cadre ou

Dans le cas où un homme ne réussirait pas à contenter toutes ses femmes, Vatsyayana rapporte que les moins chanceuses du harem, dans leur insatisfaction, avaient recours à "des bulbes, des racines et des fruits ayant la forme du linga" (Rajasthan, Jaipur).

Le style exubérant de la peinture Grissa est une combinaison unique de naïveté et de décadence. Ce couple voluptueux (ci-dessus et aux pages successives) pratique quelques uns des rituels amoureux les plus difficiles.

une image en présence de la personne aimée, le baiser est appelé baiser du transfert.

Quand le soir, au théâtre ou à une réunion de personnes de la même caste, un homme s'approche d'une femme et lui baise un doigt de la main si elle est debout, ou un orteil si elle est assise, ou quand la femme fait des ablutions à son amant et pose son visage sur la cuisse (comme si elle avait sommeil), de façon à réveiller sa passion, et lui embrasse la cuisse ou le gros orteil, ces baisers sont appelés baisers démonstratifs.

Sur ce thème il y a un verset qui dit:

"Tout acte d'amour fait par l'un des amants doit être réciproque: si la femme embrasse l'homme, il doit l'embrasser à son tour, s'il la frappe, elle doit le frapper elle aussi".

Presser, laisser des traces ou griffer avec les ongles

En général on presse avec les ongles et on griffe le corps quand la passion se fait plus intense, et également dans les occasions suivantes: lors de la première rencontre, au moment du départ et du retour d'un voyage, lors de la réconciliation après une dispute avec la personne aimée et lorsque la femme donne des signes d'ivresse.

Généralement les adeptes de la pression et des égratignures avec les ongles sont les amants particulièrement passionnés. C'est un usage commun, comme le

fait de mordre, que certains adoptent par goût. Marquer avec les ongles peut avoir huit variantes selon la forme des traces qui restent:

1. *Sonore*
2. *Demi-lune*
3. *Cercle*
4. *Ligne*

5. *Griffe de tigre*
6. *Patte de paon*
7. *Saut du lièvre*
8. *Feuille de lotus bleu*

Les parties du corps qui doivent être marquées avec les ongles sont les suivantes: ;'aisselle, la gorge, la poitrine, les lèvres, le jaghana ou partie centrale du corps et les cuisses. Mais Suvarnanabha pense que, lorsque la passion est trop impétueuse, il est impossible de contrôler tous ces détails.

Les ongles doivent avoir ces caractéristiques: ils doivent être brillants, avoir une belle forme, être propres, bien coupés, convexes, souples et soyeux. Selon sa longueur, l'ongle est classé ainsi:

Petit   *Moyen*   *Grand*

Les petits ongles, dont on peut se servir de diverses façons et seulement pour procurer du plaisir, sont caractéristiques des régions méridionales.

Les grands ongles, qui donnent de la grâce aux mains et qui ont une forme qui attirent le cœur des femmes, sont la caractéristique des habitants du Bengale.

Les ongles moyens qui ont les qualités des deux types précédents, se retrouvent souvent dans la population du Maharashtra.

Quand on touche avec l'ongle le menton, le sein, la lèvre inférieure ou le jaghana du partenaire si légèrement qu'on ne laisse aucune trace, mais que se hérissent tous les poils du corps et que simultanément on entend un petit bruit, on a le son par la pression des ongles. Ceci se pratique surtout quand un amant masse une jeune femme, lui frotte la tête et veut l'impressionner et l'effrayer.

La marque courbe des ongles qui reste imprimée sur le cou et sur le sein s'appelle demi-lune.

Lorsque les demi-lunes sont imprimées l'une en face de l'autre, cette marque s'appelle cercle. Ce genre de signe se fait en général sur le nombril, sur les petites cavités juste au-dessus des fesses et dans le pli des cuisses.

Une marque en forme de petite ligne et qui peut être faite sur n'importe quelle partie du corps s'appelle ligne.

La même ligne, mais courbée et faite sur la poitrine, s'appelle griffe de tigre.

Lorsque sur la poitrine reste une marque faite avec les cinq ongles, cela s'appelle patte de paon. Ce signe se fait pour obtenir des louanges car il faut être expert pour le réussir selon les règles de l'art.

Quand on laisse cinq marques rapprochées sur le sein, près du mamelon, cette empreinte est appelée saut du lièvre.

Une marque laissée sur la poitrine ou sur les hanches en forme de lotus bleu s'appelle feuille de lotus bleu.

Quand une personne doit partir pour un long voyage, elle laisse un signe sur les cuisses ou sur les seins, et cela est appelé "symbole du souvenir". A cette occasion on trace avec les ongles trois ou quatre petites lignes, les unes contre les autres.

Ici finit le discours sur les marques faites avec les ongles. Mais on peut faire d'innombrables autres traces; les auteurs anciens disent, en effet, que tous les hommes ne possèdent pas le même degré d'habileté (tous connaissent la pratique de cet art), il y a donc un nombre infini de formes et de façons d'imprimer ces signes. Puisque presser ou laisser des traces avec les ongles dépend de l'amour, personne ne peut affirmer avec certitude combien de sortes de traces faites avec les ongles existent. Vatsyayana dit que la raison de tout cela est dû au fait que, la diversité des manifestations en amour étant nécessaire, l'amour doit être vivifié avec la variété. C'est pour cette raison que les courtisanes, qui connaissent tous les arts de l'amour, réussissent à se rendre si désirables; la variété est désirable dans tous les domaines, activités et divertissements, comme le tir à l'arc ou des choses similaires, et l'est d'autant plus en amour.

Les signes avec les ongles ne devraient pas se faire sur le corps des femmes mariées, mais certains signes particuliers peuvent être faits sur les parties intimes, pour laisser un souvenir et accroître l'amour.

Sur ce thème existent ces versets:

"L'amour d'une femme dont les parties intimes sont marquées par les signes des ongles, même si les signes datent un peu et sont presque effacés, refleurit et rajeunit. S'il n'y a pas de signes d'ongles qui témoignent des rencontres amoureuses, l'amour perd de son charme, comme cela arrive quand il n'y a aucun rapport pendant un certain temps".

Même quand une personne étrangère note de loin une jeune femme avec des signes d'ongles sur les seins[13], il éprouve pour elle des sentiments d'amour et de respect.

D'autre part, un homme qui porte les signes d'ongles ou de dents sur une partie du corps frappe l'esprit de toute femme, même la plus sûre de soi. En bref on peut dire que rien ne contribue davantage à accroître l'amour que les signes laissés avec les ongles ou avec les dents.

13. On peut en conclure qu'à des époques reculées le sein des femmes était découvert.

Sortir pendant les nuits de pleine lune, avec toutes les possibilités voluptueuses que cela implique, était une diversion à la vie de société recommandée aux jeunes-gens.

De la morsure (et des variantes à utiliser avec des femmes de différents pays)

Toutes les parties du corps qui peuvent être embrassées peuvent aussi être mordues, sauf la lèvre supérieure, l'intérieur de la bouche et les yeux.

Les dents sont belles et estimables lorsqu'elles sont régulières, brillantes, attirantes, faciles à colorer, proportionnées, saines et au bord effilé.

Par contre les défauts des dents sont: d'être émoussées, saillantes, irrégulières, mobiles, grosses et écartées.

Les différents types de morsure sont:

La morsure cachée   *Le corail et le joyau*
La morsure gonflée   *La ligne de joyaux*
Le point   *Le nuage déchiré*
La ligne de points   *La morsure du sanglier*

La morsure qui se remarque seulement par une rougeur excessive de la partie intéressée s'appelle la morsure cachée.

Quand la peau est boursouflée des deux côtés, c'est la morsure gonflée.

Quand un petit bout de peau est mordu avec seulement deux dents, la morsure est appelée le point.

Quand ces petits bouts sont mordus avec toutes les dents, on a une ligne de points.

La morsure faite avec les lèvres et les dents s'appelle le corail et les joyaux (la lèvre est le corail et la dent est le joyau).

Quand la morsure est faite avec toutes les dents, elle s'appelle ligne de joyaux.

La morsure constituée par des gonflements irréguliers disposés en cercle et dont l'espace correspond à celui des dents s'appelle nuage brisé.

La morsure formée par de nombreuses et larges files de signes, l'un près de l'autre, entre lesquels restent des espaces rougis, s'appelle morsure du sanglier; cette morsure se fait sur le sein et sur les épaules. Ces deux derniers types de morsure sont pratiqués par des personnes capables d'une intense passion.

La lèvre inférieure est la partie réservée à la morsure cachée, à la morsure gonflée et au point; la morsure gonflée et celle du corail et des joyaux se font aussi sur les joues. Les baisers, les traces des ongles et les morsures représentent les ornements de la joue gauche, et lorsque l'on parle de joue, il s'agit toujours de la gauche.

La ligne de points et la ligne de joyaux sont imprimées sur le cou, les aisselles et l'aine alors que sur le front et sur les cuisses ne se marque que la file de points.

Laisser des signes avec les ongles et aussi mordre le front, l'oreille, un bouquet de fleurs, une feuille de bétel ou de tamala, que porte l'amante ou qui lui appartiennent, témoignent tous d'un désir ardent.

Parmi toutes les choses décrites (enlacements, baisers, etc.) les premières à faire en amour sont celles qui réaniment le feu de la passion; puis on peut ensuite exécuter celle qui sont un divertissement ou une variante.

Certains versets, à ce sujet, disent:

"Quand un homme mord une femme avec violence, elle doit le lui rendre doublement et avec colère. Ainsi la réponse au point est la file de points, celle de la file de points est le nuage brisé; si elle est particulièrement excitée, la femme doit commencer une dispute amoureuse. Dans ce cas là, elle doit prendre son compagnon par les cheveux, lui baisser la tête et embrasser sa lèvre inférieure; puis, ivre d'amour, elle doit le mordre sur divers points du corps, les yeux fermés. Si en plein jour et dans un lieu public son amant devait lui faire remarquer quelques traces qu'elle lui a laissé sur le corps, elle devrait sourire en les voyant, puis détournant le regard comme pour le blâmer, elle lui montrerait avec une expression irritée, les signes qu'il a laissés sur son propre corps. Si un homme et une femme respectent les goûts de l'autre, leur amour restera immuable même s'il devait durer cent ans''.

Détail d'une peinture qui vient de Malwa, lieu où les femmes, selon l'auteur du Kama Soutra, "aiment être enlacées et embrassées, mais non blessées, et conquises par les coups".

"Le rapport sexuel... qui dure juste le temps de la satisfaction du désir s'appelle union comme celle des eunuques".

Les différentes façons de s'étendre et les différents types d'union

Quand il s'agit d'une union élevée, la femme Mrigi (biche) doit s'allonger dans une position qui puisse élargir son yoni; au contraire, quand il s'agit d'une union basse, la femme Hastini (éléphant) doit se coucher de manière qu'elle se contracte; mais quand il s'agit d'une union équilibrée, le couple peut se coucher naturellement. Tout ce qui a été précisé pour les femmes Mrigi et Hastini est valable aussi pour la femme Vadawa (jument). Dans l'union basse la femme doit utiliser des substances qui hâtent sa jouissance.

La femme-biche peut s'étendre de trois manières différentes:

*La position
grande ouverte*

*La position
écartée*

*La position
de la femme d'Indra*

La position grande ouverte est celle où la femme appuie sa tête vers l'arrière et soulève la partie centrale de son corps. Dans ce cas l'homme devrait s'appliquer un onguent pour faciliter la pénétration.

Lorsque la femme soulève les cuisses et les écarte pour s'unir avec son compagnon, on a la position écartée.

Quand la femme plie les jambes, les cuisses contre le corps et se livre à l'union, on dit qu'elle assume la position d'Indrani; celle-ci ne s'apprend qu'à l'usage. Cette position, tout comme la position pressante, la position emmêlée et celle de la jument, présentent des avantages dans le cas des unions très élevées.

Quand les jambes des amants s'entrelacent, on a la position entrelacée. Celle-ci est de deux types: latérale ou couchée sur le dos, selon la position assumée dans le lit par les deux amants. Dans la position latérale l'homme doit toujours s'appuyer sur le côté gauche et la femme sur le droit, cette règle est à respecter pour toutes les femmes.

Si, dans cette position, la femme étreint l'amant entre ses cuisses, on a la position qui serre.

La position emmêlée est celle où la femme pose une cuisse sur celle de l'homme.

La position de la jument est celle durant laquelle la femme retient avec force le linga dans le yoni. Cette position ne s'apprend qu'à l'usage et elle est pratiquée surtout par les femmes de la région d'Andra.

Les façons de s'étendre décrites ci-dessus sont celles dont parle Babhravya; Suvarnanabha en indique d'autres: Quand la femme lève les cuisses, on a la position élevée.

Quand elle lève les deux cuisses et en pose une sur les épaules de l'amant, on a la position écartée.

Quand les jambes sont pliées et que l'amant les serre sur sa poitrine, on a la position enlacée.

Quand la femme tend vers l'extérieur une seule jambe, on a la position semi-enlacée.

Quand la femme tend une jambe vers l'extérieur alors que l'autre repose sur l'épaule de l'amant, et qu'elle change alternativement les positions de chaque jambe, elle accomplit ce qui s'appelle la fente du bambou.

Quand une jambe est mise sur la tête et l'autre tendue vers l'extérieur, on a la pose du clou. Cette position ne s'acquiert qu'à l'usage.

Quand les deux jambes de la femme sont pliées et comprimées sur l'abdomen, on a la position du crabe.

Quand les cuisses sont soulevées et disposées l'une contre l'autre, on a la position recueillie.

14. De nombreuses positions de l'amour dérivent du hatha yoga et ne peuvent être exécutées que par des initiés. Le bibliographe H.S. Ashbee, en commentant le Kama Soutra à peine publié, exprima l'opinion que beaucoup de positions pour faire l'amour «sembleront impossible à réaliser aux Européens à cause de la rigidité de leur corps».

Quand les jambes sont appuyées l'une sur l'autre, on a la position du lotus[14].

Quand l'homme, pendant le rapport sexuel, se tourne sans se séparer de la femme, alors qu'elle jouit et qu'elle reste attachée à lui avec les bras enlacés autour du dos sans jamais le lâcher, on a la position tournante et elle ne s'acquiert qu'avec l'expérience.

Suvarnanabha conseille d'accomplir ces différents modes d'union, couchés, assis ou debout dans l'eau, car ainsi il est plus facile de les exécuter.

Mais Vatsyayana pense qu'il faut éviter les unions dans l'eau car elles sont interdites par la loi religieuse.

Quand un homme et une femme s'appuient sur le corps l'un de l'autre ou contre un mur ou un pilier et s'unissent dans cette position, on a l'union appuyée.

Quand l'homme, appuyé contre un mur, soutient la femme sur ses mains unies et que celle-ci lui met ses bras autour du cou et ses cuisses autour de la taille, et qu'elle se meut en pointant les pieds contre le mur sur lequel se trouve l'homme, on a l'union suspendue.

Quand une femme se met à quatre pattes et que l'homme monte sur elle comme s'il était un taureau, on a la position de la vache. Dans ce cas, tout ce qui normalement se fait aux seins se fait sur le dos.

De la même façon on peut effectuer la position du chien, de la chèvre, du cerf, la montée forcée d'un âne, l'union du chat, le saut du tigre, la poussée de l'éléphant, le frottement du sanglier et l'assaut de la jument. Dans chaque cas, les caractéristiques de l'animal sont reproduites en imitant leur comportement.

Sculpture en ivoire de la position soulevée décrite par Suvarnanabha.

La position 'fente du bambou'.

Quand un homme jouit de deux femmes en même temps, et que celles ci l'aiment autant l'une que l'autre, on a le rapport uni.

Quand un homme s'unit à de nombreuses femmes toutes ensembles, on a l'union d'un troupeau de vaches.

Les types suivants d'union se font en imitant le comportement des animaux concernés: la poursuite dans l'eau ou union d'un éléphant avec plusieurs éléphants femelles, qui dit-on, ne peut se faire que dans l'eau, l'union d'un groupe de chèvres et de faons.

Dans le Gramanieri beaucoup de jeunes jouissent ensemble d'une femme, éventuellement mariée avec l'un d'eux, l'un après l'autre ou en même temps. Pour cela, l'un la tient, l'autre s'unit avec elle, un troisième s'occupe de sa bouche et un quatrième de la partie centrale du corps et ainsi ils jouissent alternativement des différentes parties de son corps.

Les mêmes choses peuvent se passer quand de nombreux hommes se trouvent en présence d'une courtisane, ou quand il y a une seule courtisane pour plusieurs hommes. Les femmes d'un harem se comportent de la même façon si elles réussissent à capturer un homme.

"Un couple d'amants est aveuglé par la passion dans l'ardeur de l'acte sexuel et se comporte avec impétuosité sans se soucier des excès".

Bien que les seins des femmes aient été montrés à des époques diverses et dans des lieux différents du continent, ils n'ont pas perdu l'importance de leur attrait sexuel.

Les populations du Sud pratiquent également le coït anal qui porte le nom d'union inférieure[15].

Ainsi se termine la liste des divers types d'union. Sur ce thème il y a encore quelques versets qui disent:

"Une personne dotée de fantaisie devrait multiplier les types d'union pratiqués en imitant le comportement des animaux et des oiseaux. En effet, ces différentes sortes d'union, adaptées aux us et coutumes de chaque pays et aux tendances de chaque individu, donnent naissance à l'amour, l'amitié et au respect dans le cœur des femmes".

Des différentes manières de frapper et des bruits qui les accompagnent

Le rapport sexuel peut être comparé à une dispute si on considère les contrastes propres à l'amour et sa tendance aux querelles. Le corps est l'objet qui doit être frappé avec passion et les parties du corps privilégiées sont:

Les épaules	Le dos
La tête	Le jaghana
L'espace entre les seins	Les hanches

Il y a quatre sortes de coups:

Les coups avec le dos de la main	Les coups avec les poings
Les coups avec les doigts un peu contractés	Les coups avec la paume de la main[16]

Du fait de la douleur qu'ils provoquent, les coups font émettre des gémissements sifflants et des cris qui peuvent avoir huit natures différentes:

Le son Hin	Le son Phut
Les hurlements	Le son Phat
Le roucoulement de la colombe	Le son Sut
Le son des pleurs	Le son Plat

On prononce aussi des paroles qui ont un sens comme "mère", ou qui expriment une interdiction, une satiété, un désir de libération, de la douleur ou des louanges[17], et auxquelles peuvent s'ajouter des sons similaires à ceux de la colombe, du coucou, du pivert, du perroquet, de l'abeille, du moineau, du flamant rose, du canard, de la caille et qui peuvent être tous utilisés à l'occasion.

Alors que la femme est assise sur les genoux de l'homme, celui-ci doit lui donner des coups avec le poing sur le dos; puis elle doit les lui restituer, maltraitant l'homme comme si elle était en colère, en émettant des sons comme si elle roucoulait ou pleurnichait. Pendant l'union sexuelle, la femme doit être frappée entre les seins avec le dos de la main, d'abord à rythme lent et puis en crescendo proportionnellement jusqu'à la fin du rapport.

A ce moment, il faut émettre le son Hin et d'autres alternativement, ou comme on voudra, selon la coutume. Quand l'homme émet le son Phat et tape la femme sur la tête avec les doigts un peu contractés, on dit qu'il accomplit le Prasritaka, ce qui signifie justement taper avec les doigts légèrement contractés. Dans ce cas-là, les roucoulements, le son Phat et le son Phut avec la bouche fermée, sont adaptés, et, à la fin de l'union, des soupirs et des pleurs. Le son Phat imite la cassure d'un bambou alors que le son Phut ressemble à celui de

15. Vatsyayana, après avoir exprimé clairement sa désapprobation pour les unions dans l'eau, reprend son habituel ton clinique et détaché au sujet de la sodomie. Avec le même détachement et aussi avec humour, Freud dit de cet usage: "C'est le dégoût qui fait taxer de perversion cette cible sexuelle. J'espère cependant ne pas être accusé de partialité quand j'affirme que ceux qui veulent justifier ce dégoût en insistant sur le fait qu'il s'agit d'un organe qui a d'autres fonctions et qui est en contact avec les excréments... n'expriment aucun motif plus pertinent de celui des jeunes filles hystériques qui expliquent leur aversion pour l'organe génital masculin en disant qu'il sert à uriner".

16. Les détails minutieux à ce sujet montrent à quel point la violence rituelle était importante dans le rapport amoureux de l'Inde antique. Il est singulier que ces divergences par rapport aux pratiques sexuelles occidentales, aussi évidentes, soient ignorées par les commentateurs.

17. Ceux qui ont lu le roman historique de Lampedusa intitulé Le guépard se rappelleront que la femme du personnage principal avait l'habitude de crier: "Jésus Marie" au moment de l'orgasme.

quelque chose qui tombe dans l'eau. Chaque fois que l'on commence avec les baisers et des choses de ce genre, la femme doit répondre en émettant un sifflement. Pendant l'excitation, si la femme n'est pas habituée aux coups, elle émet des mots qui expriment interdiction, fatigue et désir de libération, ou bien les paroles 'père' ou 'mère' entrecoupées de soupirs, de pleurs et de cris. Quand le rapport est sur le point de finir l'homme doit presser avec les paumes des mains et avec force les seins, le jaghana et les hanches de la femme jusqu'à la fin et émettre des sons comme ceux des cailles ou des oies.

Il y a aussi sur ce sujet des versets dont voici le texte:

"Les caractéristiques viriles sont la brutalité et l'impétuosité, alors que la faiblesse, la tendresse, la sensibilité et la tendance à se soustraire aux choses désagréables sont des caractéristiques féminines. Mais parfois l'ardeur de la passion ou de singulières habitudes peuvent aussi produire des effets contraires, mais cela ne dure pas longtemps, et à la fin la situation normale reprend le dessus".

Le poinçon sur la poitrine, les ciseaux sur la tête, des instruments pointus et affûtés sur les joues, des tenailles sur les seins et sur les hanches sont des façons qui s'ajoutent aux quatre façons de frapper de telle sorte que l'on en obtient huit en tout. Ces quatre façons de taper avec des instruments sont cependant utilisées par les populations méridionales, et les signes qu'ils laissent se voient sur les seins de leurs femmes. Ce sont des coutumes locales mais Vatsyayana pense que leur pratique est douloureuse, barbare, indigne et ne doit absolument pas être imitée[18].

De la même façon, toute coutume locale ne peut être adoptée ailleurs et ne doit jamais être portée au paroxysme même dans le lieu où elle est fréquente. Voilà quelques exemples d'excès funestes: Le Roi des Panchala tua la courtisane Madhavasema avec un poinçon pendant un rapport sexuel. Le roi Shatakarni des Kuntalas mit fin aux jours de la grande reine Malayavati avec une paire de ciseaux, et Naradeva, qui avait une main difforme, aveugla une danseuse en lui lançant un instrument pointu et en manquant la cible.

Ces quelques versets illustrent ce thème:

"Sur ces choses on ne peut établir ni une liste ni des normes rigides. Une fois que le rapport sexuel commence, seule la passion peut déterminer les actes des deux côtés".

Les actes qui naissent de la passion et les gestes et mouvements amoureux que dérivent d'une impulsion momentanée pendant le rapport sexuel ne peuvent pas se décrire avec exactitude et sont imprévisibles comme les rêves. Un cheval qui a atteint le cinquième degré de motion poursuit sa course avec une vitesse aveugle, sans se rendre compte des trous, des fossés et des poteaux qui se trouvent sur sa route; de la même façon un couple d'amoureux est aveuglé par la passion dans l'ardeur du rapport et s'abandonne à l'impulsion sans se soucier des excès. C'est pour cette raison que l'homme expert en amour, conscient de la force de sa passion mais aussi de la tendresse, de la véhémence et de la force d'une jeune femme, doit se comporter en conséquence. Les diverses façons de réaliser la jouissance amoureuse ne sont pas valables pour toutes les situations et pour tout le monde, mais doivent être utilisées au moment opportun, dans les pays et les lieux adaptés.

18. Ceci est une grosse erreur et un des nombreux exemples qui montrent comment les experts (pandits) auxquels avaient recours Arbuthnot et Burton pour traduire le sanscrit original ne furent pas corrects. Dans ce cas là il ne s'agissait pas d'objets métalliques mais de coups comme dans les arts martiaux japonais! Considérer les habitudes du sud comme barbares est typique des auteurs anciens en sanscrit, qui en général étaient du Nord.

Un mélange contenant du beurre raffiné et du miel était recommandé par Vatsyayana pour obtenir une dilatation temporaire du yoni d'une femme Mrigi ou 'biche' (Mewar).

Du comportement de l'homme
et de celui des femmes qui jouent le rôle de l'homme

Lorsqu'une femme voit que son amant est fatigué à la fin d'un long rapport dans lequel il n'a pas réussi à satisfaire ses désirs, elle doit, avec son accord, le faire coucher sur le dos et l'aider en échangeant les rôles. La curiosité de son amant et son propre désir de nouveauté la poussent à assumer ce rôle actif.

Il y a deux modes pour le faire; le premier est lorsque durant le rapport, elle se place sur l'amant, de façon à continuer le rapport sans en réduire le plaisir; l'autre est lorsqu'elle joue le rôle de l'homme dès le départ. Dans ce cas là, avec ses cheveux épars et fleuris, souriant et respirant en haletant, elle doit appuyer ses seins sur la poitrine de l'homme, et inclinant la tête à plusieurs reprises, lui faire toutes les choses qu'il a l'habitude de lui faire; tout en échangeant les coups et en se moquant de lui elle doit lui dire: "tu m'as aimée et tu m'as fatiguée avec un rapport exténuant, maintenant c'est à mon tour de faire la même chose". Puis elle doit faire la timide, l'épuisée et celle qui désire finir l'union. Ainsi elle se comportera comme l'homme décrit ci-dessous.

Le rôle de l'homme consiste à faire tout ce qui procure de la jouissance à la femme.

Quand la femme est allongée sur le lit et semble concentrée dans la conversation, il dénoue sa lingerie, et si elle commence à se rebeller, il doit l'assaillir de baisers. Puis quand son linga est dressé, il fait glisser ses mains sur tout le corps et en caresse délicatement certaines parties. Si la femme est timide et si c'est la première fois qu'ils font l'amour, l'homme mettra sa main entre les cuisses qu'elle serrera sans doute, et si c'est une très jeune femme, il devra d'abord mettre les mains sur les seins qu'elle cachera certainement avec ses propres mains, et sous les aisselles et sur le cou. S'il s'agit d'une femme adulte, il doit faire tout ce que lui dictent les circonstances. Puis il doit la saisir par les cheveux et lui prendre le menton pour l'embrasser. A ce moment-là, si c'est une jeune femme, elle sera embarrassée et fermera les yeux. Attentif au comportement de sa compagne, il comprendra la nature de ce qui lui fera plaisir durant l'union.

Suvarnanabha dit que même si l'homme, durant le rapport sexuel, utilise la femme pour jouir davantage, il doit cependant veiller à toucher les parties du corps vers lesquelles elle dirige son regard.

Les signes de la jouissance et de la satisfaction de la femme sont les suivants: le corps se relaxe, elle ferme les yeux, elle perd sa timidité et montre son désir d'être unie plus étroitement. Par contre les signes d'une non-jouissance et d'une insatisfaction sont: elle agite les mains, elle ne veut pas que l'homme se lève, elle se sent abattue, elle mord l'homme et lui donne des coups de pieds et continue à s'agiter quand l'homme a terminé. Dans ce cas là, l'homme doit lui frotter le yoni avec la main et les doigts (comme l'éléphant frotte sa trompe sur tous les objets) avant de reprendre le coït, jusqu'à ce que la femme se détende et, quand elle s'est calmée, il doit la pénétrer avec le linga.

Les actes que l'homme doit faire sont:

Mouvement en avant	*Frottement*	*Le coup du verrat*
Friction ou mouvement de baratte	*Impulsion*	*Le coup du taureau*
Perforation	*Coup*	*Le jeu du moineau*

"Tout acte fait par l'un des amoureux à l'autre doit être réciproque... si la femme embrasse l'homme, il doit l'embrasser à son tour..." (Mewar).

De nombreuses miniatures indiennes montrent un homme puissant qui associe la chasse à l'exercice tranquille et désinvolte du sexe, même si l'on est en croupe sur un éléphant! L'intention était peut-être celle de représenter ensemble les deux passe-temps préférés plutôt que de représenter une combinaison dangereuse (Rajasthan).

Quand les deux organes entrent en contact d'une manière régulière et directe, c'est ce qu'on appelle le mouvement en avant.

Quand le linga est tenu avec la main et tourné dans le yoni, c'est le mouvement de baratte.

Quand le yoni est abaissé et que sa partie supérieure est frappée par le linga, on a la perforation.

Quand le même procédé se fait sur la partie inférieure, on a le frottement. Quand le yoni est pressé longuement par le linga, on a l'impulsion.

Quand le linga, après s'être éloigné du yoni, la frappe avec force, on a le coup.

Quand une partie seulement du yoni est frottée par le linga, on a le coup du verrat.

Quand les deux côtés du yoni sont frottés par le linga on a le coup du taureau.

Quand le linga se trouve dans le yoni et glisse rapidement de haut en bas sans sortir, on appelle cela le jeu du moineau.

Quand la femme prend le rôle de l'homme, elle doit avoir la maîtrise des neuf techniques précédentes mais aussi des suivantes:

Les tenailles   *La toupie*   *Le balancement*

Si la femme, quand le linga est pénétré dans le yoni, le serre et le maintient longuement, elle exécute la tenaille.

Quand elle tourne comme une roue pendant le rapport sexuel on dit qu'elle fait la toupie.

Quand, dans le même cas, l'homme soulève la partie supérieure du corps et la femme se balance d'un côté à l'autre, on a le balancement.

Quand la femme est fatiguée, elle devrait appuyer son front sur celui de son amant et se reposer ainsi sans troubler l'union des organes sexuels, et quand elle s'est reposée, l'homme doit changer de position et recommencer le rapport.

Les versets suivants évoquent ce thème:

"Même une femme réservée et aux sentiments secrets montre ouvertement son amour et son désir lorsqu'elle se trouve sur l'homme. Le comportement de sa compagne permet à l'homme de connaître ses inclinations et la façon dont elle aime être possédée. Pendant le cycle menstruel, juste après l'accouchement ou si la femme a de l'embonpoint, on ne doit pas faire exécuter le rôle de l'homme par la femme''.

L'Auparishtaka ou coït oral

19. Ultérieurement dans cette section, il devient clair que certaines femmes pratiquaient aussi la fellatio bien que la sexualité orale hétérosexuelle soit devenue plus courante à des époques successives: au moment où Vatsyayana écrit, c'était une prestation pratiquée normalement par les homosexuels, les amis, les esclaves dont un certain nombre était travesti.

Il y a deux types d'eunuques[19]: ceux qui sont déguisés en homme et ceux qui sont déguisés en femme. Les eunuques déguisés en femmes imitent leur habillement, leur façon de parler, leurs gestes, leur tendresse, leur timidité, leur simplicité, leur douceur, leur réserve. Ces eunuques accomplissent avec la bouche les actes qui sont faits par le jaghana ou partie centrale du corps féminin, cela s'appelle Auparishtaka. Ces eunuques jouissent de la vivacité du plaisir imaginaire que leur procure ce type de rapport et mènent la vie des courtisanes. Ceci est tout ce que l'on peut dire sur les eunuques déguisés en femme.

Les eunuques déguisés en hommes gardent secrets leurs désirs et pour les satisfaire pratiquent l'art du massage. En prenant le massage comme prétexte, un eunuque serre et tire vers lui les cuisses de l'homme qu'il masse et puis touche le pli des cuisses et le jaghana ou partie centrale du corps. A ce moment là, si le linga est dressé, il le presse avec les mains et le frotte pour l'exciter. Si l'homme, après cela, et après avoir compris ses intentions, ne dit pas à l'eunuque de continuer, celui-ci prend l'initiative et commence l'union. Si au contraire l'homme lui ordonne de le faire, l'eunuque feint de s'offenser, fait des manières et finalement consent avec beaucoup de réticence.

A ce moment l'eunuque fait les huit choses suivantes, l'une après l'autre:

Union symbolique	*Baisers*
Morsure latérale	*Léchage*
Pression externe	*Succion du fruit du manguier*
Pression interne	*Engloutissement*

A la fin de chacun de ces actes l'eunuque exprime le désir de s'arrêter, mais quand le premier acte est fini, l'homme veut qu'il fasse le second et ainsi de suite.

Quand en tenant le linga avec la main et en se le mettant entre les lèvres, l'eunuque fait des mouvements avec la bouche, on a l'union symbolique.

Quand, en couvrant l'extrémité du linga de l'homme avec les doigts unis comme le bourgeon d'une fleur, l'eunuque presse sur les bords avec les lèvres et les dents, on a la morsure latérale.

Quand on lui demande de continuer, l'eunuque presse entre ses lèvres serrées l'extrémité du linga et l'embrasse comme s'il voulait l'allonger, on a la pression externe.

Puis, quand on l'a de nouveau prié de poursuivre, l'eunuque enfile plus à fond le linga dans la bouche, le presse avec les lèvres et puis le retire, on a la pression externe.

Quand, tenant le linga avec une main, l'eunuque l'embrasse comme s'il embrassait la lèvre inférieure, on a le baiser.

Quand, après l'avoir embrassé, il l'effleure partout avec la langue et passe la langue sur l'extrémité, on a le léchage.

Quand, de la même façon, il met la moitié du linga dans la bouche et l'embrasse avec violence et le suce, cela s'appelle la succion du fruit du manguier.

Enfin, quand, avec l'accord de l'homme, l'eunuque met le linga tout entier dans la bouche et le pousse comme s'il voulait l'avaler, on a l'engloutissement.

Pendant une union de ce genre, on peut frapper, griffer et faire tant d'autres choses encore.

L'Auparishtaka est aussi pratiqué par des femmes licencieuses et dissolues, par de jeunes servantes, ou autrement dit par des personnes qui n'ont pas de mari et qui vivent en faisant des massages et des toilettes.

Les Acharyas, vénérables et antiques auteurs, pensent que l'Auparishtaka est une pratique digne d'un chien et non pas d'un homme parce que c'est un acte dégradant et contraire aux préceptes des Saintes Écritures, et aussi parce que l'homme souffre de mettre son linga en contact avec les bouches des eunuques et des femmes. Mais Vatsyayana dit que les préceptes des Saintes Écritures ne concernent pas ceux qui ont recours aux courtisanes et que la loi interdit la pratique de l'Auparishtaka aux seules femmes mariées. En ce qui concerne le tort fait à l'homme, on peut y remédier facilement.

Les peuples de l'Inde orientale ne fréquentent pas de femmes qui pratiquent l'Auparishtaka. Les peuples de Ahichhatra ont des rapports avec ces femmes, mais sans accomplir avec elle aucun acte où participe la bouche.

Le peuple du Saketa pratique tous les types de rapport oral avec ces femmes, alors que le peuple du Nagara pratique toutes sortes de rapports, mais pas celui-là.

Les peuples du pays du Shurasena, sur la rive méridionale de la Jumna, font tout sans hésitation, car ils soutiennent que les femmes sont naturellement impures et qu'il est impossible d'avoir des certitudes en ce qui concerne leur caractère, leur pureté, leur conduite, leurs pratiques, leurs confidences et leurs conversations.

"Quand une courtisane fréquente des hommes elle doit faire en sorte que chacun d'eux lui donne autant d'argent que de plaisir...".

Mais on ne doit pas les éviter pour autant, car les préceptes religieux, qui servent à établir leur pureté, établissent que la mamelle d'une vache est pure au moment de la traite, même si la bouche d'une vache et celle de son veau sont considérées impures par les Hindous. De la même façon, un chien est pur quand il attrape un faon à la chasse, alors que normalement la nourriture touchée par un chien est considérée comme particulièrement impure; un oiseau est pur quand, becquetant un fruit, il le fait tomber de l'arbre, alors que les choses becquetées par les corbeaux et par d'autres oiseaux sont considérées immondes. Et la bouche d'une femme est pure si elle doit être embrassée ou si elle doit servir à ce type de choses pendant le rapport sexuel. En outre, Vatsyayana pense que dans le domaine de tout ce qui touche à l'amour chacun doit se comporter selon les usages de son pays et selon ses propres aspirations[20]

Les versets suivants parlent de ce thème:

"Les domestiques de certains hommes ont un rapport oral avec leur maître. Cette pratique est d'usage aussi entre personnes qui se connaissent bien. Certaines femmes du harem, quand elles sont disposées amoureusement, ont des rapports oraux sur le yoni d'autres femmes et certains hommes font de même avec les femmes. Les façons de le faire (baiser du yoni) devraient être bien connues si l'on se réfère à celles du baiser sur la bouche. Quand un homme et

20. Burton, dans une annotation intéressante explique que le Shurasena (oeuvre médicale d'il y a 2000 ans) parle de la blessure du linga avec les dents et il établit ensuite un lien avec la sodomie qui selon lui a substitué la fellatio au début de la domination musulmane de l'Hindoustan. Dans les *Trois Essais sur la Sexualité*, Freud écrivit: "Nous devons considérer que chaque individu possède un érotisme oral, un érotisme anal, un érotisme urétral... Le différences qui séparent le normal de l'anormal peuvent résider uniquement dans la force relative des composantes individuelles de l'instinct sexuel...".

"Un homme qui épouse de nombreuses femmes doit se comporter honnêtement avec toutes ... et il ne doit pas révéler à l'une d'elles l'amour, la passion, les défauts physiques et les plaintes secrètes des autres".

une femme sont allongés à l'envers, c'est à dire tête-bêche, et pratiquent le coït oral, on dit qu'ils font l'union du corbeau''.

Par amour de ces pratiques, les courtisanes abandonnent des hommes dotés de bonnes qualités, généreux et intelligents, et se lient à des personnes vulgaires et de basse condition comme les domestiques ou les conducteurs d'éléphants. L'Auparishtaka ne doit jamais être accompli par un brahmane cultivé, ni par un ministre employé dans les affaires d'état, ni par un homme de bonne réputation car, même si c'est une pratique permise par le Shastra, il n'y a aucune raison pour le mettre en pratique sinon dans des cas très particuliers; c'est la même chose, par exemple, pour la viande de chien qui, dans les ouvrages de médecine, est considérée comme ayant une saveur agréable et susceptible de donner des forces, pourvue de qualités digestives, mais ceci ne veut pas dire que les sages doivent la consommer.

Cependant il y a des hommes, des lieux et des circonstances qui font que l'ont peut pratiquer ces choses. L'homme doit donc penser au lieu, au temps, et à ce qu'il veut mettre en pratique et veiller à ce que ses actes soient en accord avec sa nature et seulement à ce moment là il peut décider de pratiquer ou non ces techniques selon les circonstances. Mais en fin de compte, comme ces choses se passent en secret et comme l'âme de l'homme est très volubile il est impossible de savoir ce que quelqu'un pourra faire à un certain moment et dans un certain but.

''Il y a quatre sortes de baisers...modéré, contracté, pressant et délicat, selon les parties du corps qui sont embrassées...''.

Les coussins, accessoires indispensables lorsque l'amour se fait sur le sol, ont certainement permis d'éviter des millions de déchirures musculaires et de luxations au cours des siècles.

Des façons de commencer et de conclure le rapport sexuel
Types d'unions et de querelles amoureuses

Dans la chambre des délices, décorée de fleurs et parfumée, entouré de ses amis et de ses serviteurs, le citoyen recevra la femme, qui arrivera bien soignée après avoir pris un bain et il l'invitera à se restaurer et à boire selon son bon plaisir. Il doit la faire asseoir à sa gauche et, tout en lui caressant les cheveux et en touchant le bord et le nœud de sa robe, il doit l'enlacer de son bras droit. Suivra une conversation plaisante sur divers sujets et on pourra parler hardiment de choses qui seraient considérées osées ou qui, en général ne sont pas dites en société. Puis, ils pourraient chanter tous les deux, en s'accompagnant par des gestes s'ils le désirent et jouer des instruments, parler d'arts variés et s'inviter à boire réciproquement. Enfin, quand la femme est en proie à l'amour et au désir, le citoyen doit congédier les personnes encore présentes en leur offrant des fleurs, des onguents et des feuilles de bétel, et lorsque les deux amants restent seuls ils doivent se comporter comme il est expliqué dans les chapitres précédents.

Ceci est le début de l'union sexuelle. Quand ils ont terminé, les amants avec modestie et sans se regarder doivent aller chacun à son tour dans la salle de bains. Ensuite, lorsqu'ils retournent à leur place, ils mâchent quelques feuilles de bétel et l'homme masse le corps de la femme avec un onguent de pur bois de santal ou un onguent d'un autre type. Ensuite il l'embrasse avec le bras gauche et avec de douces paroles il lui donne à boire dans la coupe qu'il tient à la main ou lui offre de l'eau si elle le désire. Ils peuvent aussi manger des pâtisseries ou d'autres choses, à volonté, prendre des jus frais, des crèmes de céréales, du bouillon concentré de viande, des sorbets, du jus de mangue, des extraits sucrés de jus de cèdre ou toute chose qui peut être appréciée dans les diverses régions et qui est connue pour être douce, légère et naturelle.

Les amants peuvent aussi rester sur la terrasse du palais ou de la maison pour jouir du clair de lune en bavardant plaisamment. A ce moment là, alors que la femme s'assied sur ses genoux, le visage tourné vers la lune, l'homme lui indique les différentes planètes, l'étoile du matin, l'étoile polaire, et les sept Rishi ou la Grande Ourse.

Ainsi se termine l'union sexuelle.

Le rapport sexuel est de différentes sortes:

Union par amour   *Union semblable à celle des eunuques*
Union pour un amour futur   *Union trompeuse*
Union par amour artificiel   *Union par amour spontané*
Union par amour transféré

Quand un homme et une femme, qui ont été amants durant un certain temps, se retrouvent non sans difficultés, ou quand l'un des deux rentre d'un voyage, ou se réconcilie après une séparation due à une dispute, l'union s'appelle union par amour. Elle dépend entièrement de la volonté et des goûts des amants et durera aussi longtemps qu'ils le désirent.

Quand deux personnes sont ensemble alors que leur amour n'est pas encore mûr, leur union est définie pour un amour futur.

Quand un homme qui se prépare à l'union sexuelle s'excite en ayant recours aux soixante-quatre règles, comme par exemple celles du baiser, ou quand un homme et une femme sont ensemble alors qu'ils sont tous les deux attachés à une autre personne, leur union s'appelle union par amour artificiel. Dans ce cas là, il faut observer les normes et les modalités prescrites par le Kama Shastra.

"Quand un homme s'unit avec de nombreuses femmes toutes ensemble, on a l'union d'un troupeau de vaches" (Népal).

Quand un homme, du début à la fin de l'union, alors qu'il a un rapport sexuel avec la femme, pense sans cesse à faire l'amour avec une autre qu'il aime, c'est le cas de l'union par transfert.

L'union entre un homme et une femme porteuse d'eau, ou servante de caste inférieure à la sienne, qui dure juste le temps de la satisfaction du désir, s'appelle union semblable à celle des eunuques. Dans ce cas-là, on ne doit pas avoir de contact externe comme les baisers, les caresses et ainsi de suite.

L'union entre une courtisane et un campagnard, et celle entre les habitants d'une ville et les femmes de villages voisinants est dite union trompeuse.

L'union qui a lieu entre deux personnes qui s'aiment et qui se réalise par leur propre volonté et selon leur propre inclination est l'union spontanée.

Et ainsi se terminent les divers types d'union.

Nous parlerons maintenant des querelles d'amour:

Une femme qui est très amoureuse d'un homme ne peut supporter d'entendre le nom de sa rivale et de devoir en parler et d'être par erreur appelée par son nom. Si cela arrive, naît une grande querelle et la femme pleure, se met en colère, se décoiffe, frappe son amant, se jette en bas du lit ou de la chaise, romp les guirlandes et ses ornements et tombe par terre. Dans ce cas-là, l'amant essaie de la calmer avec des paroles de consolation, la prend délicatement dans ses bras et la repose sur le lit. Mais elle, sans répondre à ses questions et avec une colère accrue, saisit sa tête en le tirant par les cheveux, et après l'avoir frappé à plusieurs reprises sur les bras, sur la tête, sur la poitrine et sur le dos, elle se dirige vers la porte de la chambre; Dattaka dit qu'à ce moment-là elle devrait s'arrêter devant la porte en s'emportant et en pleurant, mais elle ne doit pas sortir car en passant la porte, le tort serait de son côté. Après un certain temps quand elle juge que les mots d'excuse et les gestes de repentir ont atteint un point extrême, elle doit enlacer l'homme, mais en lui disant des choses dures et blâmables tout en lui faisant comprendre son désir passionné de s'unir à lui.

Quand une femme est chez elle et se dispute avec son amant, elle doit aller chez lui pour lui montrer à quel point elle est en colère et puis elle doit s'en aller. Successivement, quand l'homme a envoyé le Vita, le Vidushaka ou le Pithamurda[21], pour l'apaiser, elle doit se rendre chez l'homme et passer la nuit avec lui.

Ainsi se termine le sujet des querelles d'amour.

Conclusion

L'homme qui met en pratique les soixante-quatre arts décrits par Babhravya atteint son but et jouit des plaisirs de l'amour avec les femmes les plus désirables.

Même s'il peut parler avec compétence d'autres arguments, il ne jouira jamais d'une grande considération dans les assemblées des hommes érudits s'il ne connaît pas ces soixante-quatre préceptes. Un homme qui, au contraire, ne connaît rien d'autre, mais connaît à fond les soixante-quatre préceptes, devient le chef reconnu au sein de n'importe quel groupe de femmes ou d'hommes. Quel homme ne voudra pas tenir compte des soixante-quatre arts en considérant qu'ils sont respectés par les savants, les fines mouches et les courtisanes? En effet, puisque les soixante-quatre arts sont objet de respect, pleins de fascination et s'adaptent bien à la nature des femmes, ils sont reconnus comme étant chers aux femmes des Acharyas. Un homme expert dans les soixante-quatre arts est considéré avec amour par sa propre femme, par les femmes des autres et par les courtisanes.

21. Personnages traditionnels dans les représentations théâtrales en sanscrit appartenant à la société réelle. Le Vita est instruit mais superficiel, le Vidushaka est sympathique mais grotesque, le Pithamurda, un savant sans le sou. Ils jouent tous un rôle d'intermédiaire dans le cercle des hommes de cette époque.

L'

ANANGA-RANGA

DE

KALYANA MALLA

Puisses-tu être purifié par Parvati[1] qui se laqua les ongles des mains, précédemment blancs comme l'eau du Gange, après avoir vu le feu sur le front de Shambhu[2], qui se maquilla les yeux de bistre après avoir vu les couleurs sombres du cou de Shambhu et dont les poils du corps se hérissèrent (de désir) après avoir vu dans un miroir le reflet des cendres sur le corps de Shambhu.

Je t'invoque, ô Kamadeva[3]! Toi, fougueux et jouisseur, qui habite dans le coeur de toutes les créatures;

Tu donnes du courage en temps de guerre; tu as détruit Sambar A'sura et les Rakshasas[4]; toi seul, tu peux satisfaire Rati[5], combler tous les amours et donner les plaisirs terrestres;

Tu es toujours souriant, tu éloignes les tensions et la nervosité, tu soulages et rends heureux l'esprit humain.

Le roi Ahmad était le joyau de la maison Lodi. Il était une Mer: ses eaux étaient constituées des larmes versées par les veuves de ses ennemis assassinés et il obtint un renom justifié et une célébrité largement diffusée. Puisse son fils, Lada Kahn, qui connaît le Kama Shastra ou Livre d'Amour, et aux pieds duquel les autres têtes couronnées se prosternent, être toujours victorieux.

Le grand sage princier, chef de file des poètes, Kalyana Malla, doué pour tous les arts, pour plaire à son souverain, composa une oeuvre appelée Ananga-Ranga[6], après avoir consulté de nombreux hommes saints et savants, examiné les opinions de maints poètes et synthétisé l'essence de leur doctrine. Puisse cette oeuvre, dédiée d'une part à qui désire étudier l'art et le mystère de la suprême jouissance de l'homme et d'autre part aux plus grands experts de la science et de la pratique des querelles et des plaisirs de l'amour, être toujours appréciée par ceux qui font preuve de discernement et de sagesse.

Il est vrai qu'aucune joie qui appartient au monde des mortels ne peut égaler celle de la connaissance du Créateur. Mais tout de suite après et en liaison avec la première, viennent le plaisir et la satisfaction qui naissent de la possession d'une belle femme. Il est vrai que les hommes se marient pour jouir sans problème du rapport sexuel, mais aussi par amour et pour le bien-être qui en découle et souvent ils trouvent des femmes attirantes et jolies. Mais ils ne réussissent pas à les rendre totalement heureuses et eux-mêmes ne jouissent pas pleinement de leurs grâces. Et cela parce qu'ils ne connaissent pas le livre de Cupidon, c'est-à-dire le Khama Shastra; s'ils ne tiennent pas compte des différents types de femmes, ils en jouissent juste comme des animaux. Les hommes de ce genre doivent être considérés comme des êtres stupides et bornés; ce livre a été écrit afin d'éviter que des vies et des sentiments d'amour ne soient gaspillés; du reste les avantages qui découleront de l'étude de cette oeuvre sont expliqués dans les versets suivants:

"L'homme qui connaît l'Art de l'Amour et qui comprend la jouissance complète et variée de la femme,

"Petit à petit au cours des années, grâce au refroidissement de sa passion, apprendra à penser à son Créateur, à étudier des arguments religieux et à acquérir la connaissance de Dieu;

"Quand il sera exempté d'ultérieures transmigrations d'âmes et lorsque l'histoire de ses jours atteindra l'accomplissement final, il ira directement au Svarga (Paradis) avec sa femme".

Ainsi, vous qui lirez ce livre, apprenez à connaître ce délicieux instrument qu'est la femme: si vous savez l'utiliser savamment, elle est capable de produire des harmonies exquises et elle peut exécuter les variations les plus compliquées en vous procurant les plaisirs les plus sublimes.

Enfin, il doit être spécifié que chaque Shloka (strophe) de cette oeuvre a une signification double, selon la tradition du Vedanta, et peut être interprétée, soit sur le plan mystique, soit sur le plan érotique.

1. Femme de Shiva et Déesse Mère: ici, dans son aspect secondaire de Fille de la montagne. Dans son aspect cruel, Durga l'inaccessible; son emblème est la vulve.

2. Aspect de Shiva qui signifie Existence en soi. Seigneur de la Danse et seigneur des Animaux, Shiva est la Mort et le Temps: ses rythmes sauvages détruiront le monde à la fin du cycle cosmique. Son emblème est le phallus.

3. Kama, 'Désir', c'est l'éros hindou et le fils de Brahma, le Créateur.

4. Sambar A'sura était l'un des Raksashas ou démons, qui fut tué par Kama.

5. Rati, 'Plaisir', la femme préférée de Kama.

6. 'État de celui qui est immatériel'.

Les quatre catégories de femmes

Il faut tout de suite préciser que les femmes doivent être divisées en quatre catégories qui sont:

Padmini   *Chitrini*   *Shankhini*   *Hastini*

Ces catégories correspondent aux quatre phases du Moksha, c'est-à-dire de la libération d'ultérieures transmigrations. La première est la Sayujyata, ou absorption de l'essence de la Divinité; la seconde est la Samipyata, ou approche de la Divinité, la naissance en présence de Dieu; la troisième est la Sarupata, ou ressemblance à la Divinité dans le corps et dans l'aspect matériel; la quatrième et dernière est la Salokata, ou la résidence au paradis de quelque dieu particulier.

En effet le nom de la femme est Nari, qui, si on désire l'interpréter, signifie No A'ri, c'est-à-dire littéralement 'non-ennemie'; elle est aussi Moksha, ou absorption, car tous l'aiment et elle aussi aime le genre humain.

Padmini signifie Sayujyata, dite encore Khadgini-Mokksha (dégainer l'épée), l'assimilation de l'homme dans le Narayan (tête de Dieu): elle habite dans le Khshirabdi ou Mer de Lait, l'un des sept océans dont le nombril a fait naître le Padma ou fleur de lotus.

Chitrini est Samipyata Koksha, semblable à ceux qui, incarnés avec une nature divine, accomplissent des oeuvres multiples et merveilleuses. Shankini est Sarupata Moksha, égale de l'homme qui prend la forme de Vishnou, porte sur son corps le Shankra (le coquillage à spirale), le Chakra, ou disque, et d'autres emblèmes de ce dieu. La Hastini est Salokata-Moksha; elle réside dans le paradis de Vishnou réservé aux femmes de la quatrième catégorie pourvues des attributs et des propriétés, de la forme et de la dimension, de mains et de pieds.

"Le mari en variant les plaisirs qu'il procure à sa femme, peut vivre avec elle comme s'il avait trente-deux femmes différentes".

Caractéristiques personnelles des quatre classes

Et maintenant apprenez, grâce à ces descriptions, à reconnaître les quatre catégories de femmes.

Padmiri ou Femme-Lotus présente les signes et les symptômes suivants: son visage est agréable comme la pleine lune, son corps bien en chair est souple comme le Shiras[7] ou fleur de moutarde; sa peau est très fine, douce et claire comme le lotus jaune, et n'est jamais mate; cependant elle ressemble, dans l'effervescence et dans l'éclat pourpre de sa jeunesse, au nuage prêt à se briser. Elle a de beaux yeux brillants comme ceux d'une biche, bien dessinés et rouges au coin. Elle a des seins fermes, pleins et dressés; son cou a une belle ligne qui ressemble à celle du coquillage à spirale, et il est si délicat et transparent que l'on peut y voir couler la salive; son nez est droit et beau, et elle a trois plis sensuels près du nombril. Son Yoni ressemble à l'éclosion du bourgeon du lotus, et son suc d'amour (kama-salila, la sève de la vie) à l'odeur du lys à peine éclos. Elle a la démarche du cygne et sa voix est délicate et musicale comme le chant de l'oiseau Kokila[8]; elle aime s'habiller en blanc et porte des bijoux et des habits somptueux. Elle mange peu et a le sommeil léger et, étant pieuse et courtoise, elle désire toujours adorer les dieux et jouir de la conversation des brahmanes. Voilà la Padmini ou Femme-lotus.

La femme Chitrini, ou femme artiste, est de taille moyenne, ni petite, ni grande, avec des cheveux noirs comme le corps de l'abeille, un cou fin, rond et semblable à un coquillage; le buste est délicat et la taille fine comme celle du lion, le sein ferme et plein, les cuisses bien moulées et les hanches robustes. Le duvet autour du yoni est léger alors que le mont de Vénus est souple, soulevé et arrondi. Le kama-salila (suc d'amour) est chaud et parfumé comme le miel, et son ruissellement est musical pendant le rite de l'union. Ses yeux sont mobiles, sa démarche est celle du balancement d'un éléphant et elle a la voix d'un paon[9]. Elle aime les plaisirs, la diversité et se divertit en chantant ou en pratiquant toute activité artistique, surtout les activités manuelles. Son désir sexuel n'est pas fort. Elle aime avec passion ses petits animaux préférés, perroquets, mainas et autres oiseaux. Voilà la Chitrini ou femme-artiste.

La femme Sankhini[10], ou femme-coquillage, a un tempérament bilieux, sa peau est toujours chaude et de couleur brun-fauve plus ou moins foncé; elle est corpulente, sa taille est plutôt large et le sein petit; la tête est fine, les mains et les pieds longs et fins, et elle regarde obliquement du coin de l'oeil. Son yoni est toujours baigné par un kama-salila particulièrement salé et la fente est cachée par une parure velue abondante. Sa voix est rauque et perçante, de basse ou de contralto, sa démarche est précipitée. Elle mange avec modération et aime les habits, les fleurs et les ornements de couleur rouge. Elle est sujette à des accès de passion amoureuse qui lui enflamme la tête et lui altère l'esprit, et, au moment de l'orgasme, elle enfonce ses ongles dans la chair de son mari. Elle a un tempérament coléreux, un coeur dur; elle est insolente et rebelle, irascible, impolie et remarque sans cesse les défauts des autres. Voilà la Shankini, ou femme-coquillage.

La femme Hastini est petite, elle a un corps massif et informe et si la peau est claire, elle est d'une pâleur cadavérique; ses cheveux sont roux foncé, les lèvres sont grosses, la voix est acide, étouffée et gutturale, le cou courbé. Sa démarche est lente et lourde: elle a souvent les orteils déformés. Son kama-salila a le goût du liquide qui suinte des tempes des éléphants au printemps. Elle est lente dans le jeu de l'amour et ne peut être satisfaite qu'au terme d'un rapport qui dure longtemps: en réalité, plus l'union se prolonge mieux c'est pour elle, cependant elle ne sera jamais satisfaite. Elle est avide, sans pudeur et irascible. Voilà la femme Hastini ou femme-éléphant[11].

7. Arbre géant avec un pollen parfumé.

8. Connu comme le coucou indien, même si sa voix est acide et désagréable; dans la poésie et dans la prose il occupe la place du 'bulbul' persan et du rossignol en Europe (Burton).

9. Dans le sens d'excellente comme celle du paon dont le chant ne déplaît pas aux hindous contrairement aux Européens. Ils l'associent à l'explosion des moussons qui apportent les grandes pluies et qui sont accueillies avec une grande joie par la terre et par les animaux brûlés par le soleil (Burton).

10. Burton propose une analogie entre les quatre types de femmes et les quatre tempéraments qui correspondent aux humeurs fondamentales de la physiologie médiévale européenne: sanguin, colérique, flegmatique, mélancolique.

11. Dans l'oeuvre originale, à cet endroit, il y a une série de tableaux plutôt pédants dans lesquels l'appétit sexuel des quatre types est lié à la quinzaine lunaire et aux huit veilles du jour et de la nuit. Il y a aussi des tableaux qui traitent, pour chaque type de femmes, des différents endroits du corps qu'il faut stimuler et à quel moment il faut le faire. Même si ces schémas n'ont pas été inclus pour des raisons d'espace, on a gardé les commentaires sur les points qui présentent un intérêt particulier.

Kalyana Malla, dans l'Ananga-Ranga a pour intention d'encourager le mariage: "Cet attachement naturel qui fait que le mari et la femme sont unis l'un à l'autre comme les anneaux d'une chaîne en fer".

*Les heures qui offrent
une suprême jouissance*

La classe à laquelle elles appartiennent et leur tempérament font que les femmes
diffèrent énormément entre elles pour ce qui est des heures et des périodes de la
jouissance sexuelle. La Padmini, par exemple ne jouit pas durant l'union nocturne,
c'est même un moment qui lui est contraire. Comme le Surya-Camala (lotus du
jour) qui éclôt à la lumière du soleil, elle jouirait même avec un domestique
pendant les heures diurnes. La Chitrini et la Shankhini sont comme le Chandra-
Kamala, ou lotus nocturne, qui s'ouvre aux rayons de la lune; et la Hastini, qui est
la plus grossière ignore toutes ces subtilités. La Chitrini et la Shankhini ne
jouissent pas durant les heures diurnes.

Les différents types d'hommes et de femmes

Les hommes

Il existe trois types d'hommes: le Shasha ou homme-lièvre, le Vrishabha ou
homme-taureau, l'Ashwa, ou homme-cheval. Nous les décrirons en expliquant leur
nature et en énumérant leurs particularités.

*Les peintres de la cour les plus fantaisistes aimaient disposer les couples au moment de l'union
de façon à créer des formes purement imaginaires.*

72

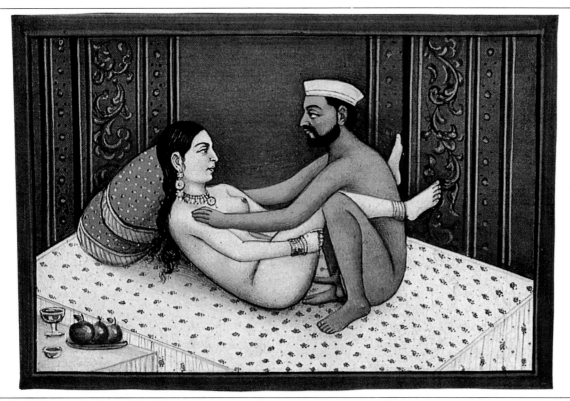

"Comme les désirs de la femme sont moins fougueux et plus longs à s'éveiller que ceux de l'homme, il n'est pas facile qu'elle soit comblée par un seul rapport...".

"Le Samana s'obtient lorsque les proportions (des parties génitales) des deux amants sont proches ou égales.." (Lucknow).

L'homme Shasha est connu pour son linga dont la longueur durant l'érection ne dépasse pas l'épaisseur de six doigts, soit environ trois pouces[12]. Il est de petite taille, mince; il a une silhouette bien proportionnée, les mains, les genoux, les pieds, les reins et les cuisses fins; la peau des cuisses est plus foncée que celle du reste du corps. Ses traits sont clairs et harmonieux; le visage est rond, les dents courtes et pointues, les cheveux soyeux, les yeux sont grands et bien ouverts. Il a un caractère tranquille, se comporte bien par amour de la vertu, il est anxieux d'avoir une bonne renommée et a une attitude humble. Il a un appétit modeste pour la nourriture et son désir sexuel est lui aussi modéré. Enfin, il n'y a rien de désagréable dans son kama-salila ou liquide séminal.

L'homme Vrishabha est connu pour la longueur de son linga qui est long comme l'épaisseur de neuf doigts, environ quatre pouces et demi. Son corps est robuste et solide comme une tortue; le torse est charnu, le ventre dur et les biceps proéminents. Il a le front haut, de grands yeux en amande dont les coins sont colorés en rose et les paumes des mains sont rouges. Il a un caractère cruel et violent, inquiet et irascible et il est disposé à tout moment à l'union sexuelle.

L'homme Ashua est caractérisé par un linga d'une longueur de douze doigts, soit environ six pouces. Il est grand et imposant, mais non charnu et il aime les femmes grandes et robustes, jamais celles qui ont des formes délicates. Son corps est dur comme le fer, le torse est large, ferme et musclé; la partie inférieure de son corps est allongée ainsi que la bouche et les dents, le cou et les oreilles; les mains et les doigts sont particulièrement effilés. Ses genoux sont torves et cette anomalie se remarque aussi aux ongles de ses doigts de pieds. Ses cheveux sont longs, hérissés et épais. La fixité de son expression lui donne un air de rigidité et de dureté; sa voix est sourde comme le rugissement d'un taureau. Son esprit est incapable de réflexion et de prudence, il est impulsif, avide, goulu, inconstant, paresseux et dormeur. Il marche en mettant lentement un pied devant l'autre. Il ne respecte pas beaucoup le rituel amoureux dont il connaît seulement le moment de l'orgasme. Son kama-salila est abondant, salé et de type caprin.

Les femmes

Tout comme les hommes qui sont divisés en trois catégories selon la longueur du linga, les quatre types de femmes (Padmini, Chitrini, Shankhini et Hastini) peuvent être divisés en trois catégories selon la profondeur et l'ampleur du yoni. Il y a la Mrigi ou Harini, la femme-biche; la Vadama ou Ashvini, la femme-jument; et la Karini, la femme-éléphant.

Le yoni de la Mrigi a une profondeur de six doigts. Son corps est délicat et ressemble à celui d'une jeune-fille; il est souple et sensible. Sa tête est petite et bien proportionnée, les seins dressés[13], l'estomac petit et profond; les cuisses et le mont de Vénus sont charnus et la structure qui soutient les hanches est bien solide, alors que les bras sont ronds et fermes. Sa chevelure est touffue et bouclée, les yeux sont noirs comme la fleur du lotus noir, les narines légères et les joues et les oreilles plutôt grandes; les mains, les pieds et la lèvre inférieure sont rosés et les doigts droits. Elle a la voix de l'oiseau Kokila et sa démarche ressemble au balancement de l'éléphant. Elle mange avec modération, mais se consacre aux plaisirs de l'amour; elle aime mais est jalouse; elle a l'esprit éveillé et actif quand elle n'est pas dominée par les passions. Son kama-salila est parfumé comme la fleur du lotus.

La Vadava ou Ashivni a une profondeur de neuf doigts. Son corps est délicat, les bras sont fermes et pleins; les seins et les hanches amples et charnus, la zone du nombril est bien relevée alors que l'estomac ne se remarque pas. Les pieds et les mains sont rosés comme des fleurs et sont bien proportionnés. Elle tient la tête baissée; ses cheveux sont longs et raides; elle a un front plat et un long cou très flexible. Le cou, les yeux et la bouche sont grands et les yeux ressemblent au

12. Les dimensions du linga, et plus loin celles du yoni, étant basées sur la grosseur des doigts, ne peuvent être qu' approximatives.

13. On peut insérer dans ce chapitre une des notes de Burton sur les variations des caractéristiques physiques. "Les femmes de l'Inde proprement dite sont dotées d'un sein rond et dressé, et plus leur provenance est méridionale, plus ferme est le sein de la race qui y habite, alors que l'on pourrait s'attendre au contraire dans des régions au climat chaud, humide et tropical. D'autre part, les femmes du Cachemire, du Sind, du Penjab, de l'Afghanistan et de la Perse, bien qu'elles soient pourvues de formes avenantes sous certains aspects et qu'elles aient de beaux visages et une belle silhouette, sont toutes plus ou moins sujettes, après la naissance du premier enfant, au sein tombant. La ligne géographique de la sodomie s'identifie avec celle du sein flasque".

lotus noir. Sa démarche est gracieuse et elle aime dormir et jouir de la vie. Bien qu'elle soit colérique et d'humeur changeante, elle est attachée à son mari; elle n'atteint pas facilement l'orgasme amoureux et son kama-salila a le parfum du lotus.

Le yoni de la Karini a une profondeur de douze doigts. Négligée et malpropre, elle a de gros seins, le nez, les oreilles et le cou longs et massifs; les lèvres sont allongées et ont tendance à se plier vers l'extérieur; les yeux sont méchants et tendent vers le jaune; le visage est large, les cheveux épais et plutôt noirâtres; les pieds, les mains et les bras sont courts et gros et les dents sont pointues comme celles d'un chien. Sa voix est dure et désagréable; elle est extrêmement goulue et à chaque mouvement elle produit une série de craquements. D'une nature particulièrement méchante et sans pudeur, elle n'hésite pas à commettre des péchés. Excitée et frénétique du désir charnel, elle ne se contente pas facilement et prétend avoir des rapports sexuels d'une durée inhabituelle. Son kama-salila évoque le liquide qui suinte des tempes des éléphants.

L'homme sage devra tenir compte du fait que ces caractéristiques ne sont pas toujours aussi précises et que les degrés et proportions relatives ne peuvent se reconnaître qu'avec l'expérience. Les divers tempéraments sont plus souvent mélangés: on rencontre fréquemment une combinaison de deux ou trois types. Il faut donc faire preuve de grande pondération avant de

Dans ces deux peintures Mughal, un voyageur européen est intié aux arts hindous de l'amour; à en juger de la position de la deuxième illustration, il semblerait que ce soit un excellent élève.

formuler un jugement face à la présence ou à l'absence de signes et de symptômes qui mènent au choix du Chandrakala ou d'autres comportements adaptés aux différentes personnalités; sans cette analyse les conséquences de l'union sexuelle ne sont pas satisfaisantes. Qui désire élargir ses connaissances doit savoir que les diverses distinctions, Padmini, Chitrini, Shankhini, Hastini, Shasha, Vrishabha, Ashva et Mrigi (Harini), Vadava (Ashvini) et Karini trouvent rarement des correspondances à l'état pur dans la réalité; l'expérience lui enseignera les diverses possibilités des combinaisons de ces typologies multiples.

Avant de passer à la description des différentes phases de l'union sexuelle, on doit énumérer les symptômes de l'orgasme féminin. Dès que la femme commence à sentir du plaisir, ses yeux se ferment presque et deviennent humides; le corps se refroidit; la respiration, après une phase délicate de halètements, se transforme en sanglots et en soupirs; les membres inférieurs sont mollement étendus après une phase rigide; un crescendo et un débordement d'effusions amoureuses et de tendresse avec des baisers et des gestes joueurs se manifestent à un tel point qu'à la fin il semble qu'elle ne survivra point. Alors, elle manifeste ouvertement sa fatigue et sa satiété envers les enlacements et les caresses; à ce moment-là les sages savent que, après avoir atteint le sommet de l'orgasme, la femme est pleinement satisfaite et ils renoncent à d'autres unions.

L'union sexuelle

Puisque les hommes et les femmes, selon la dimension de leurs organes, appartiennent à trois catégories, il existe donc neuf combinaisons différentes pour

Une exaltation figurative de nombreux Asana: Kalyana Malla souligne que faire l'amour sans tenir compte de son décalogue détaillé, peut conduire à la non-satisfaction, à l'adultère et même au crime.

*"La femme qui possède le Chanda-vega se reconnait à sa recherche
continuelle de jouissances charnelles".*

réaliser l'union sexuelle. Mais parmi celles-ci, quatre sont considérées hors du commun, et nous parlerons donc des cinq autres.

Quand les proportions des deux amants sont égales on a Samana; il y a une satisfaction totale de la part des deux partenaires.

Uchha correspond à un excès de dimension de l'homme qui rend l'union pénible et difficile et qui, pour cela, mécontente la femme.

Nichha, qui littéralement signifie creux ou bas, et indique métaphoriquement que l'homme est doté de dimensions insuffisantes, consent une modeste satisfaction aux deux amants.

Anti-uchha est un cas extrême de Uchha.

Anti-nichha est un cas extrême de Nichha.

Le bonheur le plus grand s'obtient avec l'équilibre des proportions alors que le malaise augmente en fonction des différences; la raison en est évidente.

Il existe trois types de vers que le sang développe dans le yoni: les Sukshma (petits), les Madhyama (moyens) et les Adhikabala (grands). Leur présence et leurs dimensions différentes provoquent une sorte de démangeaison et de chatouillement qui conduisent au désir sexuel; ces démangeaisons ne peuvent s'arrêter qu'avec le rapport sexuel. Mais un linga de petite taille ne réussit pas à

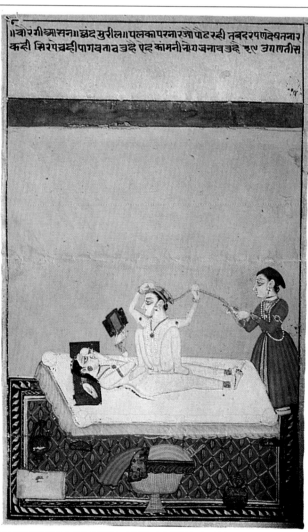

Ces peintures de l'Inde Centrale montrent un homme riche qui jouit des attentions de ses femmes et de ses servantes.

।।ताडस्वव्यासन।।बंद ग्ररीयल।। पीउवाहौ दैपावपसारभरें श्रीचानारीसुंसांम
संज्ञोगक्ररे दो उनारीज्ञौ स्पाम छुजोनभरी कंवलाइ केनारीयेंगोगक्री उहुगंते
क्षोतरमापत्र

donner cette satisfaction. D'autre part, sa longueur excessive provoque plus de gêne que de plaisir. Donc, le degré de jouissance est le fruit des proportions parfaites, surtout lorsque le diamètre du linga et l'extension du yoni correspondent.

Autres particularités secondaires de l'union

Chacune des unions énumérées se divise en neuf catégories que nous étudierons maintenant;

Il y a trois sortes de Vissrishti, ou émission du kama-salila, tant pour les hommes que pour les femmes, selon le temps nécessaire à sa maturation.

Chirasambhava-vissrishti se caractérise par une longue durée.

Madhyasambhava-vissrishti est celle de durée moyenne.

Shigrasambhava-vissrishti est celle qui se consume en peu de temps.

Il existe aussi les trois degrés du Vega, c'est-à-dire de la force du désir sexuel qui dépend de l'énergie mentale ou de la vitalité et qui agit tant sur les hommes que sur les femmes. Pour expliquer ce concept on peut se servir d'une comparaison: la faim, par exemple, est quelque chose dont tous les hommes peuvent souffrir, même si elle se manifeste de diverses manières. Certains doivent manger immédiatement, sinon ils risquent de s'évanouir; d'autres peuvent la supporter plus longuement; alors que d'autres encore en souffrent, mais modérément; les Vega, ou capacité de jouissance, sont:

"Il n'y a aucun doute" affirme le vénérable auteur, "que la monotonie engendre la satiété et la satiété le dégoût pour l'union sexuelle". Il ne mentionne cependant pas le tir-à-l'arc qui pourrait être une distraction utile.

Chanda-vega, appétit ou impulsion déchaînés: c'est-à-dire la capacité maximale.

Madhyama-vega, ou désirs modérés.

Manda-vega, concupiscence lente ou froide: c'est à dire la capacité minimale.

La femme qui possède le Chanda-vega se reconnaît par sa perpétuelle recherche de jouissance charnelle. Si elle est obligée de s'en passer, elle apparaîtra comme une personne hors d'elle. Le cas opposé est celui de la femme caractérisée par le Manda-vega; elle éprouve tellement peu de plaisir qu'elle se refuse toujours aux désirs de son mari. La femme dotée du Madhyama-vega est la plus charceuse car elle n'a l'excès ni de l'une ni de l'autre.

En outre, il existe trois Kriya, c'est-à-dire les actes ou les procédés qui provoquent l'orgasme chez l'homme et chez la femme. Il s'agit de:

Chirodaya-kryia, qui se réfère aux préliminaires qui doivent durer longtemps avant de produire un effet.

Madhyodaya-kryia, sont ceux qui agissent en un temps raisonnable.

Ladhudaya-kryia, sont les plus brefs.

Nous pouvons donc observer qu'il y a neuf types d'union sexuelle selon la longueur et la profondeur des organes. Il y en a encore neuf autres déterminés par la durée plus ou moins longue pour arriver à l'orgasme, il y en a encore neuf qui dépendent du Kryia ou procédés qui concluent le rapport sexuel. En somme, il y a en tout vingt-sept types d'union; si on multiplie les neufs espèces par les trois durées on obtient 243 types d'union (9x9=81x3=243)[14].

14. Il est intéressant de comparer ces premiers chapitres à ceux du Kama Soutra qui leur correspondent. Bien que la tendance à faire des énumérations, à définir des catégories et à calculer les combinaisons possibles soit commune tant à l'oeuvre ancienne qu'à celle du Moyen-âge, cela devient plutôt une obsession dans ce livre plus moderne. L'Ananga-Ranga a parfois les caractéristiques d'une liturgie qui, ayant été répétée trop souvent, a perdu son sens originel.

Cet homme aime passionnément les unions dangereuses - les positions debout sont reconnues comme étant difficiles - et semble disposer de structures nécessaires pour affronter des incidents toujours possibles.

Description des qualités générales,
des caractéristiques et des tempéraments des femmes

Une femme est appelée Kanya de la naissance à l'âge de huit ans, et cette période correspond à la Balyavastha, ou enfance; Gauri, épithète de la déesse blanche Parvati, est le nom réservé jusqu'à la onzième année; elle s'appelle Tarunyavastha quand elle atteint l'âge d'être mariée; puis Yavavastha quand la femme est dans la fleur de l'âge, ensuite vient Vreuddhavastha pour la femme âgée.

De plus il faut noter qu'il existe trois tempéraments de femmes comme l'indiquent les caractéristiques suivantes:

Les propriétés du Kapha (diathèse lymphatique ou flegmatique) sont: les yeux, les dents et les ongles brillants; le corps maintient ses formes et les membres ne perdent pas leur sveltesse juvénile. Le yoni est frais, tonique, charnu mais délicat; cette femme éprouve amour et respect pour son mari. Ceci est le tempérament lymphatique, le plus élevé dans la classification[15].

Puis vient le Pitta, ou diathèse bilieuse. Cette femme a la poitrine et les fesses flasques, tombantes et tristes, la peau blanche, les yeux et les ongles rouges, une transpiration à l'odeur âcre et le yoni brûlant et dépourvu d'élasticité; elle est experte dans l'art de l'union sexuelle, mais ne peut la faire durer longuement; son

15. Dans l'antique physiologie européenne, il occupe la place inférieure.

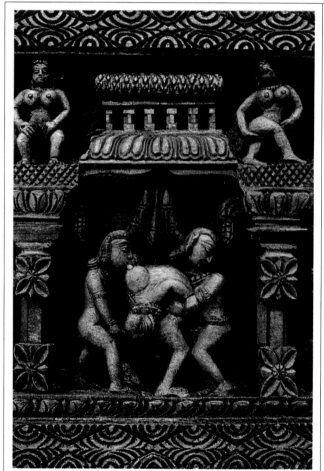 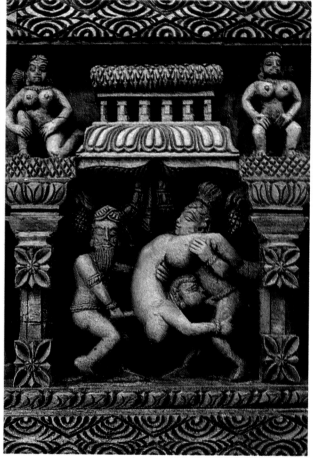

La société austère et fermée de l'Inde médiévale assiste au développement parallèle d'un libertinage clandestin.

humeur est lunatique, tour à tour colérique ou joyeuse; telle est la typique Pitta, ou tempérament bilieux.

Les caractéristiques du Vata sont: un corps mat, solide et trapu; les yeux et les ongles noirs; le yoni, qui devrait être lisse, est dans ce cas-là rugueux comme la langue d'une vache; un rire désagréable; un tempérament boulimique; la femme de ce type est superficielle et loquace; elle ne trouve jamais une satisfaction totale dans le rapport sexuel; telle est la femme Vata, ou tempérament volubile et vide, le pire de tous.

De plus, il faut aussi considérer les femmes par rapport à ce qu'elles étaient dans leur vie antérieure; le Satva, ou disposition héritée de la vie passée influence leur nature actuelle.

La femme Davasatva-stri, qui appartient au monde des Dieux, est joyeuse et vive, dotée d'un corps élégant et soigné; quand elle transpire, elle émane un parfum de lotus. Elle est intelligente, riche, active, douce et bonne dans ses paroles, se livrant toujours avec passion à des occupations utiles et bénéfiques. Son esprit est vigoureux comme son corps et elle n'est jamais fatiguée ni ennuyée par ses amis.

La Gandharvasarna-stri, dont le nom vient des Gandharvas, ménestrels du paradis, a de belles formes, une âme patiente et aime la pureté; elle se consacre

La floraison de sectes orgiaques permit aux artistes de décorer les temples avec des images érotiques de tous genres.

entièrement aux parfums, aux substances odorantes et aux fleurs, au chant et à la diction, aux vêtements somptueux et aux beaux ornements, au sport et aux jeux amoureux, en particulier au Vilasa, un des genres d'activité féminine qui dénotent la passion pour l'amour.

La Yakshasatva-stri, dont le nom découle du demi-dieu qui règne sur les jardins et sur les trésors de Kuvera[16], a de gros seins pleins, la peau claire comme les fleurs blanches de la région du champa; elle aime la viande et les liqueurs; elle n'a aucun sens de la pudeur et de la décence; elle est passionnée et irascible, et à toute heure désire l'union sexuelle.

16. Le dieu de la richesse.

La Munushyasatva-stri, qui substantiellement est dotée de beaucoup d'humanité, se complaît dans les joies de l'amitié et de l'hospitalité. Elle est respectable et honnête, son esprit ne connaît ni tromperie ni malignité et elle ne se lasse jamais de pratiquer la religion, les voeux, les pénitences.

La Pisachasatva-stri, qui a des points communs avec la catégorie des démons, est petite, a un physique très foncé et chaud, le front toujours froncé. Sa personne est négligée; avide, elle aime la viande et les choses interdites, et bien qu'elle ait de nombreux rapports sexuels, elle désirerait, sans cesse, s'unir sexuellement comme une prostituée.

La Nagasatva-stri, ou femme serpent, est toujours en proie à la hâte et à la confusion: ses yeux sont somnolents, elle bâille continuellement et soupire en faisant de profondes respirations. Elle n'a aucune mémoire et vit dans le doute et la méfiance.

Une peinture tantrique dont les puissants symboles érotiques anticipent merveilleusement, d'un côté Miro et de l'autre la microscopie des spermatozoïdes.

Une femme Hastini savoure les attentions de son mari.

La Kakasatva-stri reflète les caractéristiques du corbeau; elle roule toujours les yeux comme si elle souffrait de quelque douleur; elle passe sa journée à chercher quelque chose à manger; elle est stupide, peu raisonnable et mécontente. Elle abîme tout ce qu'elle touche.

La Vanarasatva-stri ou femme-singe se frotte les yeux sans arrêt, grince des dents; elle est très vive, active et dynamique.

La Kharasatva-stri présente les caractéristiques de l'âne; elle est malpropre, ne se lave, ne se baigne, ni ne change ses vêtements. Elle ne sait pas répondre avec précision et parle confusément et sans raison, car son esprit est obscur et retors. Pour cela personne ne désire sa compagnie.

L'étude du Satva demande une attention particulière car ses caractéristiques sont toujours mouvantes; seule l'expérience peut établir la catégorie à laquelle la femme appartenait dans la vie antérieure, vie qui a influencé son corps et son esprit dans l'existence actuelle.

La femme aux seins fermes et charnus, qui apparaît petite à cause de la plénitude de sa silhouette, à l'aspect vif et aux couleurs délicates, est le type de femme qui jouit de jour avec son mari.

La femme de constitution décharnée, qui apparaît très grande et sombre, aux membres et au tronc sans énergie et languissants, à cause d'une chasteté obligatoire, est le type Virahini, affligée par une longue séparation du mari et elle a besoin de rapports conjugaux.

"En lisant ce livre vous découvrirez comment la femme est capable de produire les harmonies les plus exquises".

"A peine la femme commence à ressentir du plaisir, ses yeux se ferment presque et deviennent humides".

Une femme qui mange deux fois comme un homme est quatre fois plus inconsidérée et méchante, six fois plus décisive et obstinée et huit fois plus violente que lui dans le désir charnel. Elle réussit à grand peine à contrôler son engouement pour les jeux de l'amour malgré la pudeur naturelle du sexe féminin.

Voilà les signes qui permettent aux sages de savoir si une femme est désireuse d'amour:

Elle se touche et se lisse les cheveux pour qu'ils soient bien coiffés. Elle se gratte la tête pour se faire remarquer. Elle se caresse les joues pour attirer son mari. Elle feint d'arranger ses vêtements sur les seins mais laissant, à dessein, le sein partiellement découvert. Elle se mord la lèvre inférieure comme si elle voulait la mâcher. Elle peut aussi quelquefois avoir l'air honteuse sans raison (c'est l'effet de ses chaudes rêveries), et reste tranquille dans un coin, attentive et absorbée par sa concupiscence. Elle enlace ses amies, rit bruyamment, murmure des mots doux, des plaisanteries et des badinages, et espère recevoir en échange quelque signes d'affection. Elle embrasse et enlace les enfants, surtout les petits garçons. Elle sourit effrontément, flâne sans but, se met sur le lit sans raison en prétextant n'importe quelle excuse. Parfois elle observe par dessus ses épaules ou par dessous ses bras. Elle balbutie et parle de manière incompréhensible; elle bâille chaque fois qu'elle a besoin de tabac, de nourriture ou de sommeil. Elle est même capable de se jeter aux pieds de son mari et refuse de s'ôter spontanément de son chemin.

Voilà les huit signes d'indifférence que l'on peut rencontrer chez les femmes:

Quand l'attraction physique commence à se tarir, la femme ne regarde plus avec la même franchise le mari droit dans les yeux. Elle répond avec rétiscence à ses demandes. Si l'homme s'approche d'elle l'air joyeux, elle ne se sent pas à son aise. S'il s'éloigne d'elle, elle montre clairement sa satisfaction. Quand elle est assise sur le lit, elle évite les cajoleries amoureuses et se met tranquillement à dormir. Si on l'embrasse ou la dorlote, elle éloigne son visage et se retourne fâchée. Elle éprouve des sentiments hostiles envers les amis de son mari. Le dernier indice est le manque de respect et d'attention pour sa famille. Quand ces signes deviennent évidents, il faut se rendre à l'évidence: la femme a perdu tout désir conjugal.

Voilà maintenant les raisons principales qui poussent la femme à abandonner le droit chemin et à mener une vie dissolue, à la dérive:

Rester à l'âge adulte dans sa Maher, ou maison de la mère, au lieu d'habiter dans la maison des parents du mari.

Avoir des relations amicales nuisibles avec des personnes dépravées par le sexe.

Subir une longue absence du mari.

Avoir des contacts avec des hommes méprisables et licencieux.

Souffrir de pauvreté et du manque de bonne nourriture et de vêtements décents.

Souffrir de troubles de l'esprit, d'afflictions et de malheurs qui la rendent mécontente et insensée.

Voilà maintenant la liste des quinze causes principales qui peuvent rendre la femme malheureuse:

Parcimonie des parents ou du mari, car les jeunes sont par nature généreux.

Traitement trop respectueux, avec des égards excessifs lorsqu'elle se sent particulièrement désinvolte et joyeuse; les personnes avec lesquelles elle désirerait entrer en confidence maintiennent une distance craintive à son égard; imposition de règles trop rigoureuses dues à un comportement conventionnel et surveillé.

Souffrance due à la maladie ou à la mauvaise santé.

Séparation du mari et manque de joies naturelles.

Obligation de faire des travaux trop fatigants.

Être l'objet de violences, de cruautés, d'inhumanité: par exemple être frappée.

"L'Abhisanka est la femme dont les pulsions sont tellement fortes... qu'elle sort impudiquement la nuit pour se rendre chez un étranger..." (Rajasthan, Kotah).

Langage vulgaire et mauvais traitements.

Être soupçonnée d'avoir une tendance au mal.

Intimidations et menaces de punition pour l'habitude de flâner.

Calomnies, accusations de mauvaises actions et usage de mauvaises paroles à son sujet.

Manque de propreté dans la personne et dans l'habillement.

Pauvreté.

Amertume et déplaisir.

Impuissance du mari.

Non observation des temps et des lieux appropriés à l'amour.

Les douze moments suivants sont ceux pendant lesquels les femmes sentent le maximum du désir pour l'amour, et sont en même temps plus facilement satisfaites:

Quand elles sont fatiguées après avoir marché ou épuisées par l'exercice physique.

Après une longue période sans rapport comme dans le cas de la femme Virahini.

Après un mois du jour de l'accouchement.

Pendant la première partie de la grossesse.

Quand elle est assoupie, inactive et somnolente.

Après une guérison récente de la fièvre.

Quand elle devient effrontée ou timide.

Quand elle se sent joyeuse et heureuse de façon inaccoutumée.

La Ritu-snata, c'est-à-dire juste avant ou après le cycle menstruel.

Lors du premier acte d'amour.

Pendant toute la durée du printemps.

Pendant l'orage, les tonnerres, les éclairs, la pluie.

Dans ces circonstances, les femmes cèdent facilement aux désirs des hommes.

Sachez qu'il existe quatre types de Priti, ou liens d'amour qui unissent les hommes et les femmes:

Naisargiki-triti est un attachement naturel; le mari et sa femme sont unis l'un à l'autre comme les anneaux d'une chaîne de fer. L'amitié règne entre deux sexes et tout va pour le mieux.

Vishaya-triti est la passion éveillée chez la femme et accrue grâce à des dons comme des pâtisseries et des gourmandises, des fleurs, des parfums, des préparations de bois de santal, musc, safran, et autres. La gourmandise, la sensualité et l'amour du luxe jouent, dans ce cas-là, un rôle primordial.

Sama-priti est quelque chose de très sensuel car il naît du désir également impérieux du mari et de sa femme.

Abhyasiki-triti est l'amour ordinaire développé par l'habitude et l'intimité réciproque: il se manifeste en faisant ensemble des promenades dans les champs, en participant à des rites religieux, à des pénitences et à des pratiques religieuses auto-imposées; en fréquentant ensemble les lieux de divertissement, de spectacles, de danse où l'on fait de la musique et où l'on cultive l'art.

En outre, il est important de souligner que les désirs de la femme sont moins fougueux et plus longs à s'éveiller que ceux de l'homme; ainsi il est difficile qu'un seul rapport la satisfasse; sa capacité ralentie à être excitée demande des unions prolongées, si elles ne lui sont pas accordées, elle sera déçue. Lors du deuxième rapport, lorsque son potentiel amoureux est complètement éveillé, elle éprouve un orgasme plus violent et elle est complètement satisfaite. Cependant le phénomène opposé se produit pour l'homme; il se prépare au premier rapport enflammé d'ardeur amoureuse, se refroidit durant le second coït et n'éprouve aucune envie face à un troisième. Cependant les sages ne soutiennent pas que les désirs sexuels de la femme, tant qu'elle est jeune et forte, ne soient aussi complets, réels et pressants que ceux de l'homme. Les usages sociaux et le sens de la pudeur

"L'homme, après être monté sur le trône de l'amour, jouit avec la femme, tranquille et heureux".

propres au sexe féminin peuvent contraindre la femme à les cacher et même à se vanter d'en être absente. Cependant l'homme qui a étudié l'Art de l'Amour ne se laisse jamais tromper par ces astuces.

Il faut maintenant décrire le yoni car il peut présenter quatre aspects différents:
Le meilleur est celui qui a la douceur des filaments de la fleur du lotus.
Il y a celui dont la superficie interne est couverte de petits noeuds de chair tendre et d'autres reliefs similaires.
Puis vient celui qui est riche de plis, d'ondulations et de rides.
Et enfin, le pire est celui rugueux comme la langue d'une vache.

En outre dans le yoni, se trouve une artère appelée saspanda qui correspond à celle du linga; si une énergique poussée du linga l'excite le kama-salila[17] coulera. Cette artère est dirigée vers le nombril et adhère à certaines aspérités qui sont particulièrement adaptées à provoquer le paroxysme (orgasme) quand elles sont excitées. La Madana-chatra (clitoris), dans la partie supérieure du yoni, est cet organe qui surgit là comme le bourgeon du plantain sort de terre; elle est reliée à l'artère Mada-vahi (qui provoque l'émission de la semence) et qui le fait couler. Enfin il y a une artère dite Puma-chandra, pleine de kama-salila, et les savants lui attribuent le flux menstruel.

Le mariage et autres sujets

Les caractéristiques de la femme qui devra devenir l'épouse sont les suivantes: elle doit être issue d'une famille du même rang social que le mari, d'une maison connue pour son origine illustre et ses vertus; elle devra être sage et cultivée, prudente et patiente, correcte et digne de comportement et réputée comme quelqu'un qui agit selon les préceptes de la religion et qui fait face à ses obligations sociales. Elle ne doit avoir aucun vice et être dotée de toutes les qualités, elle doit avoir un beau visage et un physique avenant, avoir des frères et de la famille et être très experte dans le domaine du Kama-Shastra ou Science de l'Amour. Une telle jeune-fille est parfaite pour le mariage; un homme qui a du bon sens doit se hâter de l'épouser en observant le cérémonial ordonné par la Loi Sacrée.

Mais comment se reconnaissent la beauté et l'harmonie du corps? Un visage souple et attrayant comme la lune, des yeux splendides et limpides comme ceux de la biche, un nez délicat comme la fleur de sésame, des dents brillantes comme le diamant et irisées comme la perle, des oreilles petites et rondes, un cou comme un coquillage, marqué par derrière de trois lignes délicates, la lèvre inférieure rouge comme le fruit mûr de la bryone (vigne blanche) et des cheveux noirs comme l'aile de l'oiseau Bhramara, une peau illuminée comme la fleur du lotus bleu, ou claire comme une surface dorée brillant à la lumière du soleil; la jeune fille, aux pieds et aux mains rouges, est marquée du signe circulaire ou disque du Chakra, son estomac est minuscule, la zone du nombril est en creux, ses hanches sont larges et ses cuisses, à la belle forme du platane, sont bien proportionnées et rendent sa démarche similaire à celle de l'éléphant, ni trop lente ni trop rapide, sa voix est douce comme celle de l'oiseau Kokila; cette jeune-fille, surtout si elle possède un bon caractère, une nature douce, si elle n'est pas dormeuse, si son esprit et son corps n'ont pas la tendance à la paresse, devrait être tout de suite mariée à un homme sage.

Nous avons ainsi parlé des caractéristiques des femmes. L'homme par contre devrait être mis à l'épreuve, exactement comme on vérifie l'authenticité et la pureté de l'or, de quatre façons: avec la pierre de touche (jaspe), avec la coupe, avec le réchauffement et avec le martèlement. On doit donc tenir compte de sa culture, de son caractère, de ses qualités et de sa façon d'agir. La première

17. Les Hindous, en accord avec des savants européens du Moyen-Age, affirmaient que les hommes et les femmes émettaient le même liquide séminal.

caractéristique d'un homme est le courage, uni à la capacité de patience: s'il se consacre à quelque chose, qu'il s'agisse d'une entreprise grande ou d'une petite, il doit le faire avec l'esprit d'un lion. La seconde est la prudence: le temps et le lieu pour agir doivent être médités et décidés de façon opportune comme le fait le Bakheron en observant, immobile, sa proie dans l'étang situé en-dessous. La troisième est de se lever tôt et d'inciter les autres à en faire autant. La quatrième est la hardiesse à la guerre. La cinquième est la répartition généreuse de la nourriture et des biens entre les membres de la famille et les amis. La sixième est la diligence pour satisfaire les besoins et les désirs de sa femme. La septième est la prudence dans les choses de l'amour. La huitième est le secret et la réserve dans les rapports sexuels. La neuvième est la patience et la persévérance dans toutes les situations et les activités de la vie. La dixième est le discernement pour réunir et accumuler tout ce qui peut être nécessaire. La onzième est d'éviter que la richesse et le succès social conduisent à l'orgueil, à la vanité, au luxe et à l'affectation. La douzième est de n'aspirer à rien qui soit impossible. La treizième est de savoir se contenter de ce que l'on a si on ne peut avoir plus. La quatorzième est de manger simplement. La quinzième est d'éviter trop de sommeil. La seizième est d'être efficace dans les tâches confiées par l'employeur. La dix-septième est d'affronter les prédateurs et les fripons en cas d'agression.

La femme ''radieuse et au teint clair, est connue pour sa jouissance diurne avec le mari'' (Deccan).

Une domestique sert ce riche monsieur et sa femme qui profitent de leur jardin et jouissent de leur amour réciproque.

La dix-huitième est de travailler volontiers; par exemple, ne se lamenter ni du soleil ni de l'ombre au cas où son travail consiste à porter un poids.

La dix-neuvième est supporter patiemment les problèmes et les contraintes. La vingtième est de viser un noble but et la vingt-et-unième est d'étudier les meilleurs moyens pour atteindre le succès. Toute personne qui accumule ces vingt-et-une qualités mérite la réputation d'homme excellent.

Si un homme a des rapports sexuels avec la femme d'un autre homme il peut avoir sept types de problèmes. Tout d'abord la vie est raccourcie et avilie par l'adultère; deuxièmement, le corps perd de sa vitalité et de sa vigueur; troisièmement, les gens se moquent de l'amoureux et le blâment; quatrièmement, celui-ci souffre d'un sentiment de culpabilité; cinquièmement sa richesse diminue à vue d'oeil; sixièmement il souffre énormément dans ce monde; et septièmement sa souffrance sera plus grande dans l'autre monde. Cependant malgré toute cette horreur, ce déshonneur et ce mépris, dans certaines circonstances, que nous décrirons bientôt, établir des liens avec la femme d'un autre devient indispensable.

De grands monarques puissants se sont ruinés, eux et leur règne, à cause de leur désir de jouir de la femme des autres. Par exemple, jadis, la famille du Ravana, roi du Lanka (Ceylan), fut détruite, car le souverain enleva avec violence Ramayana, célèbre dans le monde entier[18]. Vali perdit la vie en tentant de s'unir avec Tara, comme c'est amplement décrit dans le Kishkinda-kand, qui est un chant de cette oeuvre. Kichaka, le Kaurava, avec ses frères, fut anéanti car il voulait conquérir coûte que coûte Draupada (fille de Drupad), l'épouse commune des frères Pandu, comme le raconte le Virat-parvi (section) du Mahabharata. Ces exemples témoignent des désastres qui se sont abattus dans le passé sur ceux qui ont convoité la femme d'autrui; pour toutes ces raisons, que personne ne commette un adultère, même mentalement.

Mais maintenant il faut analyser les dix possibilités d'altération de l'état naturel de l'homme. Tout d'abord, l'état de Dhyasa, ou homme qui ne réussit à rien faire d'autre sinon voir une certaine femme. Deuxièmement quand un homme s'aperçoit que son esprit est incapable d'attention et s'évanouit comme s'il perdait la raison. Troisièmement quand il perd la tête et pense continuellement au mode de courtiser et de conquérir la femme dont on parle. Quatrièmement quand il passe la nuit agité sans le repos du sommeil. Cinquièmement lorsqu'il apparaît bouleversé et que son corps s'amaigrit. Sixièmement quand il sent que l'abandonné toute retenue, tout sens de décence et de dignité. Septièmement quand ses richesses s'envolent. Huitièmement, quand son exaltation mentale confine à la folie. Neuvièmement, quand se succèdent des accès d'évanouissements et dixièmement lorsqu'il sent qu'il est sur le point de mourir.

On peut expliquer, grâce à un exemple du passé, comment ces conditions sont provoquées par la passion amoureuse. Il était une fois un roi qui s'appelait Pururava; il était si dévot et il menait une vie si mortifiée et si austère qu'il pouvait faire craindre à Indra, Seigneur du Ciel Inférieur, d'être détrôné. Ainsi, le dieu, pour arrêter ces pénitences et ces pratiques religieuses, envoya du Svarga, c'est-à-dire de son paradis, Urvashi, la plus belle des Apsara (nymphe). A peine la vit-il, que le roi tomba amoureux d'elle; nuit et jour il ne pensait plus qu'au moyen de la posséder jusqu'au moment où il y réussit et jouit longuement des plaisirs charnels en sa compagnie. Quelques temps plus tard, Indra se souvenant de l'Apsara, envoya un de ses messagers, l'un des Gandharva (ménestrels célestes) dans le monde des mortels pour la ramener. Immédiatement après la séparation, l'esprit de Purarava commença à délirer; il ne pouvait plus concentrer ses pensées sur le culte des dieux et se sentit sur le point de mourir.

Vous voyez donc dans quel état était réduit ce roi en pensant si intensément à Urvashi! Quand un homme devient la proie du désir, il doit consulter un médecin

18. L'Amour-Passion et ses tragiques conséquences sont un thème courant dans l'art et la littérature. Sir Herbert Read, poète et critique anglais, affirma que "seul un amour passionné évoque la poésie de la qualité la plus sublime".

"La femme idéale doit avoir un beau visage et une silhouette avenante ... et doit être
très experte dans l'art du Kama Soutra..." (Deccan).

et des livres de médecine qui traitent du sujet. Si la conclusion est qu'il doit
absolument, pour ne pas mourir, jouir de la femme de son voisin, alors pour
rester en vie, il doit la posséder une fois, mais une fois seulement[19]. Par contre
s'il n'existe aucune raison aussi péremptoire, il n'y a aucune justification pour qu'il
puisse jouir de la femme d'un autre, juste pour satisfaire son plaisir et procurer
une gratification à son libertinage.

En outre, le livre de Vatsyayana, le Rishi, nous enseigne ce qui suit: supposez
qu'une femme, qui a atteint la chaude et robuste vigueur de la fleur de l'âge,
s'enflamme d'amour pour un homme, et que cet amour soit ardent à un tel point
qu'il la fait précipiter dans les dix états que nous avons décrits, elle est destinée à
mourir à cause de son état délirant si l'homme aimé refuse d'avoir des rapports
avec elle. Dans une telle circonstance, l'homme, après avoir résisté pendant un
certain temps, doit réfléchir au fait que son refus pourrait faire mourir la femme;
et donc il doit la satisfaire en s'unissant avec elle une fois, mais une fois
seulement.

Mais les femmes suivantes doivent absolument être exclues de tout commerce
de ce genre: la femme d'un brahmane, d'un shrotiya (brahmane expert des Veda);
d'un agnihotri (prêtre gardien du feu sacré) et d'un puranik (lecteur des Purana).
Regarder seulement de façon significative une de ces femmes ou penser à elle
avec l'idée d'un désir sexuel représente déjà une faute: imaginez alors ce qu'il
peut en être du péché d'union charnelle avec elle. De la même manière, les
hommes sont destinés au Naraka (l'Enfer) s'ils couchent avec la femme d'un
kshatrya (roi ou homme de la caste des guerriers, aujourd'hui disparue), d'un ami,
d'un parent. L'auteur de ce livre insiste sur ce point et ordonne à ses lecteurs
d'éviter tous ces péchés mortels.

Cependant il y a d'autres femmes qui ne doivent jamais être possédées
malgré la tentation d'un grand nombre d'hommes[20].

Certaines femmes peuvent facilement être convoitées. Tout d'abord une
femme dont la conduite est impudique. Puis une veuve. Trois, une femme douée
pour le chant, pour jouer de la musique et autres arts de dilettantes similaires.
Quatre, une femme qui aime la conversation. Cinq, une femme misérable. Six, la
femme d'une personne idiote ou impuissante. Sept, la femme d'un homme gros,
avec un ventre comme un tonneau. Huit, la femme d'un homme cruel et
méchant. Neuf, la femme d'un homme d'un rang moins élevé que le sien. Dix, la
femme d'un homme âgé. Onze, la femme d'un homme très laid. Douze, la
femme toujours sur le pas de sa porte à regarder les passants. Treize, une femme
de caractère changeant. Quatorze, une femme sans enfant surtout si elle et son
mari désirent la bénédiction d'une descendance. Quinze, une femme vaniteuse et
vantarde. Seize, une femme qui est séparée de son mari depuis longtemps et qui
est, de ce fait, privée de la satisfaction des sens. Dix-sept, une femme qui n'a
jamais connu le vrai plaisir de l'union charnelle. Dix-huit, une femme dont l'esprit
est resté comme celui d'une jeune-fille.

Nous décrirons maintenant les signes et les symptômes qui permettent de
comprendre que les femmes sont amoureuses de nous. Tout d'abord une femme
aime un homme quand elle le regarde sans avoir honte et quand elle le fixe avec
audace, sans peur ni déférence. Deuxièmement, quand, debout, elle bouge le pied
en avant et en arrière comme si elle désirait dessiner des lignes par terre.
Troisièmement, quand elle se gratte un bras ou une jambe sans raison.
Quatrièmement, quand elle jette des coups d'oeil furtifs, des regards obliques
comme si elle regardait du coin de l'oeil. Cinquièmement, quand elle rit sans
raison à la vue d'un homme.

A cela s'ajoutent les cas suivants. La femme, au lieu de répondre à une
question précise, réplique avec des plaisanteries et des badinages; elle nous suit
partout où que l'on aille lentement et délibérément; elle s'arrête pour observer
notre visage et notre personne avec un regard envieux et plein de désirs

19. Cette exception très spéciale était
en usage également dans d'autres
cultures. Seleucos, roi de Syrie, donna
sa femme, Stratonice, jeune et belle, à
son fils Antioche quand les médecins
lui expliquèrent que cette passion
mettait en danger sa vie.

20. L'auteur donne une liste de vingt-
quatre types de femmes qu'il est
interdit de fréquenter, alors que
Vatsyayana se limitait à deux. Avec
son pragmatisme habituel, Vatsyayana
fournit des descriptions détaillées sur la
manière de pratiquer un adultère
lorsqu'il est clair qu'il devient
inévitable.

invoquant n'importe quel prétexte; elle aime marcher devant nous en mettant en évidence ses jambes et ses seins; elle nous traite avec une soumission malicieuse et servile, accompagnée d'éloges et de flatteries; elle devient l'amie de nos amis et leur demande continuellement: "Chez un tel y-a-t-il des épouses? Les aime-t-il beaucoup? Comment sont-elles, très belles"? Elle regarde dans notre direction et chante un refrain sentimental ou se passe fréquemment la main sur les seins ou sur les bras; elle fait claquer ses doigts, bâille et soupire sans raison; elle ne répond jamais à nos requêtes sans endosser les vêtements qui la flattent le plus; elle nous jette des fleurs ou des choses semblables sur le corps; elle entre et sort de la maison prétextant mille raisons; enfin, elle a les pieds et les mains couverts de sueur quand elle nous voit à l'improviste. La femme qui montre de tels signes et symptômes est amoureuse de nous et est en proie à une forte excitation passionnelle. Tout ce que nous devons faire, si nous sommes experts dans l'art de l'amour, est de choisir la personne juste qui servira d'intermédiaire.

Envisageons la situation opposée: les femmes difficiles à conquérir. Premièrement, la femme totalement amoureuse de son mari et comblée. En second, la femme qui, de par son tempérament froid et son dédain pour les rapports sexuels, reste chaste. Troisièmement, la femme envieuse de la prospérité et du succès d'une autre. Quatrièmement la mère de nombreux enfants. Cinquièmement, une fille ou une belle-fille fidèle aux devoirs familiaux. Sixièmement, une femme courtoise et très digne. Septièmement une femme qui craint ses parents et ceux de son mari. Huitièmement une femme riche, soupçonnant toujours, souvent à tort, qu'on l'aime plus pour son argent que pour elle-même. Neuvièmement, une femme timide, embarrassée, qui fuit la présence

Un détail rappelant les sculptures décoratives de l'époque romane en Europe qui n'offrait certes pas toutes ces opportunités à ses artistes.

Une représentation très parlante de la position de la brouette.

des étrangers. Dixièmement, une femme avare et avide. Onzièmement, une femme sans avarice et sans avidité. Il est difficile de posséder ces femmes et elles ne valent d'ailleurs pas la peine d'être courtisées.

Il ne faut pas faire l'amour avec une femme dans les lieux suivants. D'abord l'endroit où l'on allume le feu avec la formule religieuse Agni-mukha et autres Mantra. Deuxièmement en présence d'un brahmane ou d'un homme vénérable. Troisièmement sous les yeux d'une personne âgée que l'on doit respecter, comme un gourou (guide spirituel), ou un père. Quatrièmement quand un homme important vous regarde. Cinquièmement sur les rives d'un fleuve ou d'un torrent ruisselant. Sixièmement, dans un Panwata ou lieu construit pour puiser de l'eau d'un puits, d'un réservoir, etc. Septièmement, dans un temple dédié aux dieux. Huitièmement dans un fort ou dans un château. Neuvièmement dans un local où des gardes sont en service, dans une station de police ou dans tout autre endroit du ressort du gouvernement où l'on garde en prison les détenus. Dixièmement, sur une route à grande circulation. Onzièmement, chez quelqu'un d'autre. Douzièmement dans la forêt. Treizièmement dans un endroit à découvert comme une prairie ou un haut-plateau. Quatorzièmement, sur un terrain où l'on enterre ou brûle des cadavres. Les conséquences de l'union charnelle dans ces lieux sont un désastre; elles produisent des disgrâces et, si des enfants naissent de ces unions, ils seront destinés à devenir des personnes méchantes et négatives.

Les sages du passé[21] décrivent ainsi la situation la plus favorable pour faire l'amour avec les femmes. Choisir la pièce la plus grande de la maison, la purifier en blanchissant les murs de haut en bas et en les décorant avec des tableaux et d'autres objets sur lesquels l'oeil peut se poser avec délice; disposer divers instruments de musique, en particulier le fifre et le luth en les éparpillant dans la pièce; offrir des substances désaltérantes comme la noix de coco, des feuilles de bétel et du lait, qui est un aliment si précieux pour maintenir et restituer la vigueur; placer des bouteilles d'eau de rose et d'essences variées, des éventails et chauris (ventilateurs manuels) pour rafraîchir l'air et des livres contenant des chants d'amour et des illustrations agréables à voir, avec les positions amoureuses. De splendides Divalgiri, ou lampes appliquées au mur doivent diffuser la lumière tout autour de la pièce et la refléter sur cent miroirs. Alors, l'homme et la femme doivent vaincre tout obstacle et toute fausse pudeur et, dans une totale nudité, ils doivent s'adonner aux voluptés les plus effrénées, sur un lit haut, très beau, surélevé du sol par de hauts pieds, orné de nombreux oreillers et couvert par un riche chatra ou baldaquin; des fleurs jonchent les draps et le couvre-lit a été parfumé en brûlant des arômes sensuels comme l'aloès et d'autres bois parfumés. Dans un tel lieu, l'homme, régnant sur le trône de l'amour, jouit de la femme en pleine liberté et joie, en satisfaisant chacun des désirs et des caprices de l'un et de l'autre.

Plaisirs externes

Le terme 'plaisirs et jouissances externes' doit être entendu comme indiquant les actes qui devraient toujours précéder la jouissance interne ou rapport sexuel. Les sages ont souligné qu'il faut stimuler, avant l'union, le désir du sexe le plus faible, au travers de certains préliminaires qui sont nombreux et variés: comme les divers enlacements, le Nakhadana, ou contacts avec les ongles[22], les Dashana, ou morsures[23]; les Kesha-grahana ou caresses des cheveux et autres douceurs amoureuses. Tout cela a une grande influence sur la sensibilité érotique et vident l'esprit de toute réserve et froideur. Voilà les jeux et les dérivatifs qui précèdent le rapport à proprement parler.

Il existe huit Alingana, ou façons d'embrasser, qui seront énumérées ci-dessous et décrites minutieusement.

21. Kalyana Malla a repris cette description du Kama Soutra. Comme toujours il s'agit d'une scène idéalisée, alors que Vatsyayana s'éloignait très peu de la réalité: pour le lecteur médiéval moyen, celle-ci était aussi proche de son expérience personnelle que pouvait l'être pour nous celle de Versailles.

22. La raison pour laquelle un terme aussi ridicule que 'onguiculation' a été choisi pour indiquer le rituel des égratignures n'est pas claire.

23. Morsures de différentes sortes.

L'ennui était le problème de quelques rares privilégiés: les positions sexuelles peuvent elles aussi faire l'objet de rituels.

Le Vrikshadhirudha est l'enlacement qui imite l'acte de grimper sur un arbre et se fait de cette manière: le mari est debout, la femme met un pied sur celui de l'homme et soulève l'autre jambe jusqu'à la hauteur de la cuisse du mari en se pressant contre lui. Puis, lui ceignant la taille avec les bras, exactement comme si elle escaladait un palmier, elle le tient et le serre avec force, se plie contre lui et l'embrasse comme si elle aspirait la sève de la vie.

Le Tila-Tandoula est l'enlacement qui représente le mélange de la graine de sésame et du grain de riz (Tandul). Le mari et la femme, debout l'un en face de l'autre, se penchent en avant jusqu'à ce que les deux poitrines se touchent et ils se serrent fortement la taille. Puis sans bouger, ils devront approcher le linga du yoni, tous les deux encore voilés par les vêtements, et ne pas interrompre ce contact pendant quelques minutes.

La Lalatika est ainsi nommée car le front (lalata) touche le front du compagnon. Cette position témoigne d'une grande affection; les deux amants sont debout avec les bras serrés autour de la taille; les sourcils, les joues, les yeux, la bouche, la poitrine et l'estomac se touchent.

Jaghan-alingana signifie 'hanches, reins et cuisses'. Dans cet enlacement, l'époux s'assoit sur un tapis et l'épouse se place sur ses cuisses en l'enlaçant et en l'embrassant avec passion. Dans l'échange d'effusions, il lui soulève sa robe (lungaden) de manière que sa lingerie (lungi) soit en contact avec ses vêtements et il la décoiffe en signe de véhémente passion; ou bien, comme variante, le mari est dans les bras de la femme.

Le Viddhaka est la position au cours de laquelle les mamelons touchent le corps de l'autre. Le mari est assis immobile, les yeux fermés; la femme, se mettant à ses côtés, lui passe le bras droit autour des épaules en appuyant les seins contre sa poitrine et en se serrant fort contre lui, qui l'enlace avec la même chaleur.

L'Urupagudha est ainsi nommé car les cuisses y sont protagonistes. Dans cet enlacement, les deux amants sont debout, les bras enlacés; le mari[24] met les jambes de la femme entre les siennes de manière que la partie interne de ses propres cuisses touche la partie externe de celles de sa femme. Comme dans tous les enlacements, l'échange de baisers ne finit jamais. Cet enlacement est particulièrement précieux pour des amants passionnés.

Le Dughdanir-alingana, ou 'l'enlacement lait et eau', est aussi appelé Khiranira. Dans ce cas, le mari est couché sur le lit sur le côté droit ou gauche, la femme s'allonge près de lui, en tournant son visage vers lui et l'enlace étroitement, les membres s'imbriquant comme s'ils étaient emboîtés les uns dans les autres. Ils restent ainsi jusqu'à ce que se fasse sentir un désir irrésistible.

Le Vallari-vreshtita, ou 'enlacement pareil à la plante grimpante qui s'entortille autour d'un arbre', se fait ainsi: le couple est debout, la femme s'enroule autour de la taille de l'homme, lui passe une jambe autour d'une cuisse et en même temps l'embrasse tendrement à plusieurs reprises, jusqu'à ce qu'il ne réussisse plus à respirer comme une personne qui souffre du froid. En réalité la femme doit imiter la vigne qui s'entortille autour de l'arbre qui la soutient.

Ici se termine la série des enlacements: ceux-ci doivent être étudiés avec beaucoup d'attention et ne doivent pas être dissociés d'une exacte compréhension de la variété des baisers qui les accompagnent dans la pratique des Alingana. Sachez qu'il y a sept endroits très indiqués pour donner un baiser; et ce sont ceux où dans le monde entier on fait des baisers. Tout d'abord, la lèvre inférieure; en second, les deux yeux, en troisième les joues; quatrièmement la tête; cinquièmement la bouche; sixièmement les seins; et septièmement les épaules. Il est vrai que les populations de certains pays embrassent d'autres parties qui les attirent. Par exemple, les libertins du Satadesha ont adopté cette coutume: embrasser les aisselles, le nombril, le yoni, mais cela ne correspond pas aux coutumes des hommes de notre pays et à celles du monde en général.

24. Il faut noter que ces couples sont formés par la femme et le mari. Ceux de Vatsyayana étaient des couples d'hommes et de femmes.

Il y a dix types différents de baisers, chacun a un nom particulier et nous le décrirons en suivant le bon ordre.

Le baiser Milita, qui signifie 'mishrita', c'est-à-dire fusion ou réconciliation. Si la femme est en colère, même pour des raisons futiles, elle n'embrassera pas son mari sur le visage; alors, lui, appuyera avec force ses lèvres sur les siennes et gardera leurs bouches unies jusqu'à ce que la colère de la femme soit tarie.

Le baiser Sphurita, qui s'accompagne de pincements et de titillations sur le corps[25]. La femme doit approcher sa bouche de celle de son mari qui l'embrasse alors sur la lèvre inférieure; mais elle se détache avec un soubresaut sans lui rendre le baiser.

Le Ghatika, ou baiser du cou et de la nuque, terme utilisé souvent par les poètes. L'épouse, excitée par la passion amoureuse, cache les yeux de son mari avec ses mains et les ferme; puis fermant elle aussi les siens, elle visite la bouche de son compagnon en bougeant la langue d'avant en arrière avec un mouvement tellement agréable et lent qu'il suggère une autre jouissance bien plus profonde.

Le Tiryak, ou baiser oblique. Dans ce cas-là, le mari, en étant debout derrière ou à côté de sa femme, lui met la main sous le menton, le serre et le soulève jusqu'au moment où le visage de l'épouse soit tourné vers le ciel; puis il prend entre ses dents la lèvre inférieure, la mordant délicatement comme s'il désirait la mâcher.

L'Uttaroshtha, ou baiser de la lèvre supérieure. Quand la femme est pleine de désir, elle doit prendre entre ses dents la lèvre inférieure de son mari, la mordant

25. Plus simplement chatouilles.

Kalyana Malla nous rappelle qu'un homme "se prépare au premier rapport, ardent du feu de l'amour, mais il tiédit pendant le second" (Mewar).

"A peine la femme commence-t-elle à sentir du plaisir.... sa respiration après une phase de halètements se transforme en sanglots et soupirs".

et la mâchant alors qu'il fait de même avec la lèvre supérieure de sa femme. Ainsi, ils atteignent tous les deux le degré suprême de l'excitation.

Le Pindita ou baiser de la petite 'bouchée'. L'épouse serre les lèvres du mari entre ses doigts, y passe la langue et les mordille.

Le Samputa ou baiser de l'écrin. Le mari embrasse l'intérieur de la bouche de la femme et elle en fait autant.

Le baiser Hanuvatra. Selon ce rite, le baiser ne doit pas être échangé tout de suite; on commence en tendant les lèvres vers celles du partenaire et en faisant des mimiques provocatrices, des grimaces et des faux semblants. Après avoir joué ainsi pendant un certain temps, les lèvres s'allongent pour échanger le baiser.

Le Pratibodha ou baiser qui réveille. Quand le mari s'est absenté pendant quelque temps, qu'il rentre chez lui et trouve sa femme endormie, solitaire, sur un tapis dans la chambre, il pose ses lèvres sur les siennes et, en pressant toujours plus fort, il la réveille. Ce baiser, de loin le plus agréable de tous, laisse un souvenir encore plus apprécié.

Le baiser Samaushtha. L'épouse dévore la bouche et les lèvres du mari, les pressant avec la langue tout en dansant autour de lui.

La description des différents baisers est terminée et nous devons parler maintenant des différentes formes de Nakhadana, ou moyens de solliciter et de griffer avec les ongles.

Comme il n'est pas possible de comprendre quelles sont les parties les plus adaptées pour ce genre de jeu amoureux, il est souhaitable d'expliquer comme prémisse qu'il y a dix parties du corps sur lesquelles on peut appuyer (avec les ongles ou les doigts) avec plus ou moins de force. Ce sont: premièrement le cou, deuxièmement les mains, troisièmement les cuisses, quatrièmement les seins, cinquièmement le dos, sixièmement les flancs, septièmement les deux axillae[26], huitièmement tout le torse et la poitrine, neuvièmement les hanches, dixièmement, le mont de Vénus et les parties tout autour du yoni et onzièmement les joues.

Il est aussi nécessaire d'apprendre à connaître les circonstances et les saisons pendant lesquelles il est conseillé de pratiquer ces caresses ou attouchements. La première quand la femme est en proie à la colère; deuxièmement lors du premier rapport avec une femme, ou bien au moment où est cueillie la fleur de sa virginité; troisièmement lors d'une brève séparation; quatrièmement avant de partir pour un long voyage à l'étranger; cinquièmement lorsque l'on a perdu une grosse somme d'argent; sixièmement lorsque l'on sent un fort désir sexuel et septièmement lors de la saison de Virati, quand Rati, ou la passion charnelle, est absente. Dans tous ces cas se pratique la pression des ongles sur les points indiqués.

Pour pouvoir utiliser les ongles il faut qu'ils ne présentent ni rayures ni cassures, qu'ils soient propres et brillants, convexes et durs. Ces six qualités ont été soulignées par les sages dans les Shastra.

On peut toucher et griffer avec les ongles de sept manières différentes.

Le Churit-nakhadana se fait en appuyant les ongles sur les joues, la lèvre inférieure et sur le sein de façon à ne pas laisser de traces mais en provoquant la chair de poule jusqu'à ce que tous les poils du corps de la femme se hérissent et qu'un frisson parcoure le corps tout entier[27].

L'Ardhachandra-nakhadana se fait en imprimant un signe arrondi sur le cou et sur les seins, en forme de demi-lune (Ardha-chandra).

Le Mandalaka est la pression des ongles sur le visage qui dure le temps de laisser un signe.

Le Tarunabhava ou Rekha (ligne) est le nom donné par des hommes experts du Kama Shastra aux traces laissées par les ongles, dont la longueur dépasse la largeur de deux ou trois doigts, sur la tête, les cuisses ou le sein d'une femme.

Le Mayurapada (patte de paon ou serre) se fait en appuyant le pouce sur le mamelon et les quatre autres doigts sur la peau du sein en pressant avec les ongles pour laisser un signe qui ressemble à l'empreinte laissée par le paon quand il marche dans la boue.

26. Les aisselles.

27. Il existe une superstition européenne qui suppose que lorsque quelqu'un a la chair de poule sans cause apparente, cela est dû au fait que cette personne est en train de passer sur le lieu où elle sera enterrée. Cette idée est difficilement acceptable par ceux qui sagement brûlent leurs morts dans des endroits bien définis et séparés du séjour des vivants; par ailleurs, chez les musulmans, comme chez les hindous, ce que nous appelons la 'chair de poule' est considéré un symptôme de toutes les passions. (Burton)

Le Shasha-pluta, ou saut du lièvre est le signe laissé sur la partie plus mate de la poitrine en ne touchant aucune autre partie du corps.

Anvartha-nakhadana est le nom utilisé pour les trois signes ou égratignures faites avec les ongles des trois premiers doigts sur le dos, les seins et la zone autour du yoni. Ce Nakhadana est utilisé quand le mari doit partir en voyage dans un pays lointain et sert comme souvenir et signe durable d'amour.

L'homme jouisseur et très sensible aux choses de l'amour, en utilisant les ongles selon les indications précédentes, avec un amour plein d'affection mais chargé de la furie sauvage de sa passion, concède à la femme le maximum de la satisfaction de son désir sexuel; en effet il n'existe peut-être rien de plus gratifiant, tant pour l'homme que pour la femme, qu'un habile usage du Nakhadana.

De plus il est conseillé d'acquérir aussi l'art particulier de l'usage des morsures. Les personnes qui se consacrent à l'étude du rapport sexuel affirment que les dents devraient être utilisées sur les mêmes parties du corps que celles où se font les égratignures avec les ongles, mis à part les yeux, la lèvre supérieure et la langue. En outre il faut serrer les dents jusqu'au moment où la femme commence à crier 'aïe! aïe!' et alors il faut lâcher prise.

Le type de dent le plus apprécié chez le mari est celui qui présente une

La stupeur ravie d'une ménagère, surprise par l'homme alors qu'elle vaque à ses travaux quotidiens, n'a rien perdu de son humour et de sa force au cours des siècles.

Les manuels sur l'amour ont intégré de nombreuses pratiques issues du tantrisme et du yoga.

Dans certaines de ces peintures, il est possible de déceler la langueur corrosive d'une société dans laquelle l'immolation (de la veuve) était fréquente. Que pouvait-il exister de pire? (Jodhpur).

couleur à peine rosée et non pas un blanc mat; les dents doivent être brillantes et propres, saines, pointues et courtes, disposées en une file serrée et régulière.

Comme pour l'usage des ongles, il existe sept différents Dashana ou façons de se servir des dents:

Le Gudhaka-dashana, ou morsure secrète, se fait en enfonçant les dents uniquement dans la partie interne, ou rouge de la lèvre de la femme sans laisser aucune trace externe qui pourrait être vue par les gens.

L'Uchun-dashana, disent les sages, est le nom qui décrit la morsure sur les lèvres et les joues d'une femme.

Le Pravalamani-dashana, ou morsure du corail, est cette merveilleuse union des dents de l'homme avec les lèvres de la femme qui transforme le désir en une flamme ardente; il ne peut être décrit et n'atteint la perfection qu'avec une longue expérience.

Le Bindu-dashana (morsure du point ou de la goutte) est le signe laissé par les deux dents antérieures de l'homme sur la lèvre inférieure de la femme ou à l'endroit où se porte le Tilla ou marque brune.

Le Bindu-mala (rosaire ou file de points ou de gouttes) est la même chose que le précédent, mais en utilisant toutes les dents de façon à former une ligne régulière de points.

Le Khandabhrak est comme une grappe de nombreux signes faits par l'empreinte des dents du mari sur les sourcils, les joues, le cou, les seins de la femme. Elle est disposée sur le corps comme l'est le Mandalaka ou Dashanagramandal, un ovale en forme de bouche qui contribuera grandement à sa beauté.

Kolacharcha: Les sages donnent ce nom aux signes profonds et durables laissés par les dents des maris qui partent à l'étranger; ils les impriment sur le corps de la femme, dans l'ardeur de la passion et du chagrin de la séparation. Après le départ de l'amant, la femme regardera ces signes et pensera fréquemment à lui avec un pincement de coeur .

Ainsi nous avons analysé toutes les manières de mordre et nous devrons maintenant examiner les diverses modalités du Keshagrahana, ou attouchement de la chevelure de la femme. Ses cheveux devraient être souples, épais et pas trop fins, noirs, bouclés sans être ni crépus, ni lisses.

L'un des meilleurs moyens pour favoriser le désir d'une femme à son réveil le matin est de lui toucher et de lui caresser doucement les cheveux comme le décrit le Kama Shastra.

Il existe quatre sortes de Keshagrahana:

Le Samahastakakeshagrahana (tenir les cheveux avec les deux mains): le mari les tient fortement entre les paumes derrière la tête de la femme et en même temps l'embrasse sur la lèvre inférieure.

Le Tarangarangakeshagrahana (baiser ondulé ou sinueux de la chevelure): le mari attire vers lui sa femme en la tenant par les cheveux du côté de la nuque et l'embrasse en même temps.

Le Bhujangavallika (contorsion du dragon): le mari est excité par l'imminence de l'union amoureuse, il attrape les cheveux à la racine derrière la nuque tout en attirant vers lui la femme. Le couple est debout et ses jambes doivent être enlacées: c'est l'un des jeux amoureux les plus excitants.

Le Kamavatansakeeshagrahana (serrer la crinière de l'amour): durant l'union, le mari et la femme serrent réciproquement les cheveux du partenaire avec les deux mains placées au-dessus des oreilles tout en s'embrassant fréquemment sur la bouche.

Telles sont donc les pratiques de jouissance externe décrites selon l'ordre dans lequel elles devraient être exécutées. Seules les plus connues et les plus mises en pratique par les amants ont été retenues. Il y en a beaucoup d'autres mais elles ne sont pas aussi diffusées et renommées et n'ont pas été citées afin d'éviter que ce traité ne devienne trop important. Cependant on en mentionnera quelques unes:

Les caresses et les attraits amoureux, considérés d'un certain point de vue, peuvent être comparés à une bataille dans laquelle le plus fort remporte une victoire momentanée. Pour avoir le dessus dans cette lutte il existe deux types d'attaque connus sous les noms de Karatadana et Sitkreutoddesha.

Karatadana, comme l'indique le sens même du mot, consiste en une série de petits coups donnés avec la main d'un des partenaires sur certaines parties du corps du compagnon[28]. Dans ce cas, quatre modalités différentes guident le comportement de l'homme envers la femme:

Prassritahasta, ou battre avec la paume ouverte.

Uttanyahasta, la même chose mais faite avec le dos de la main.

Mushti, ou donner de petits coups avec la partie inférieure et charnue de la main fermée comme si l'on martelait délicatement.

Sampatahasta, ou battre avec la partie interne de la main; celle-ci se creuse légèrement pour le faire, comme le capuchon du cobra.

Passons maintenant au Sitkriti, ou aux sons inarticulés émis en aspirant l'air entre les dents serrées; ces comportements particuliers sont l'apanage des femmes et les sages les classent en quatre types:

Hinkriti est le son profond et sourd comme 'Hun, hun, hun!', 'Hin, hin, hin!' émis avec la bouche et le nez sans l'auxiliaire d'autres parties.

Stanita est ce grondement sourd comme un tonnerre dans le lointain que l'on peut exprimer ainsi: 'He! He!' ou 'Han! Han!' émis dans la gorge sans avoir recours à l'appareil nasal.

Sitkriti est l'expiration ou émission de la respiration semblable au sifflement du serpent et qui peut se reproduire ainsi 'Shan! Shan!' ou 'Shish! Shish!' et ne se fait qu'avec la bouche.

Utkriti est ce son à claquement qui ressemble à la cassure du bambou exprimable ainsi:'T'hat! T'hat!'; il se produit en appuyant sur le palais la pointe de la langue et en la bougeant le plus rapidement possible alors que simultanément on émet cette exclamation.

Bhavakriti est un son bruyant semblable aux grosses gouttes de pluie qui tombent; il s'exprime ainsi: 'T'hap! T'hap!' et se fait avec les lèvres mais il est réservé au moment de l'union sexuelle.

Ces différents Sikriti émis par la bouche de la femme au moment de la jouissance ressembleraient respectivement au chant de la caille (Lava), du coucou indien (Kokila), du pigeon au cou tâché (Kapota), de l'oie-Hansa et du paon. Les sons doivent être émis de façon spéciale lorsque le mari embrasse, mord et feint de manger la lèvre inférieure de sa femme; la douceur de ces sons augmente grandement le plaisir et stimule l'accomplissement de l'acte sexuel.

De plus les hommes doivent savoir quelles sont les caractéristiques propres de la Ashtamahanayika, ou les huit grandes catégories de Nayiha[29]:

Khanditanyika est la femme dont le mari rentre tard en portant sur le corps les signes de la jouissance sexuelle dus à une rivale; les yeux rougis à cause des heures tardives, il s'approche de sa femme peureux et agité, la câline et en lui susurre des paroles douces pour la convaincre à faire l'amour; au début, elle feint de ne pas l'écouter, mais finalement cède. Ce nom lui a été donné par les grands poètes des temps passés.

Vasakasajjita est le qualificatif choisi par les sages pour caractériser la femme qui, après avoir préparé avec soin et décoré un lit douillet dans une habitation élégante, s'y assoit la nuit en attendant patiemment son mari; elle désire intensément sa présence, ferme les yeux de temps à autre ou fixe intensément la porte pour voir s'il arrive.

L'équivalent contemporain d'un jouet mécanique (Jaipur).

Kalakantarita, selon la définition des sages, s'applique à la femme gravement offensée par le mari. Lorsque celui-ci se jette à ses pieds et lui demande pardon, elle le chasse et décide de ne plus le revoir; mais après quelque temps, un sentiment de regret la saisit et elle commence à se plaindre des diverses douleurs et des désagréments de la séparation. Elle retrouve finalement le calme en espérant une nouvelle union conjugale.

Abhisarika est le genre de femme qui, incapable de contrôler ses instincts sexuels, s'habille d'une façon voyante et n'éprouve aucune honte à se promener la nuit sans pudeur jusqu'à la demeure d'un étranger avec l'espoir d'avoir avec lui une liaison charnelle.

Vipralabdha est une femme déçue. Ayant envoyé une messagère à un homme inconnu pour lui fixer un rendez-vous à un certain endroit, elle s'y rend, confuse et agitée à la perspective de cette rencontre amoureuse, mais seule la messagère arrive, sans l'homme désiré, et cela jette la femme dans un état d'exaspération.

Viyogini est une femme à la tendance mélancolique. Pendant l'absence du mari dans un pays étranger, elle reste là, à respirer les parfums du bois de santal et d'autres substances odorantes, contemple la fleur de lotus et le clair de lune en s'abandonnant à un état d'amour passionné et de tristesse.

Svadhinapurvapatika est le nom donné par les sages à la femme dont le mari, au lieu de se préoccuper de satisfaire ses désirs amoureux et de prendre en considération ses exigences sexuelles, se consacre à la recherche de la connaissance philosophique qu'il puise dans ses méditations.

Utkanthita, selon les plus grands poètes, décrit la femme qui aime son mari avec une grande tendresse. Elle a des yeux lumineux et vifs, elle s'embellit en se parant de bijoux et de guirlandes de fleurs; elle connaît bien les goûts de son mari, et ardente de désir, elle attend son retour couchée sur les coussins dans une chambre destinée au plaisir et somptueusement meublée avec des miroirs et des tableaux.

Les diverses formes de la jouissance interne

La jouissance interne est l'art du rapport sexuel en soi; elle complète les divers préliminaires pratiqués extérieurement qui ont été décrits dans le chapitre précédent. Ces enlacements, ces baisers et autres manifestations de séduction respectent toujours les propres goûts du mari et de sa femme; s'ils sont pratiqués en suivant les indications des Shastra, ils produiront un degré d'extrême excitation chez la femme et assoupliront et relaxeront le yoni en le préparant à l'union charnelle.

Les versets suivant montrent l'art et le savoir que peut receler un acte qui semble si simple aux personnes profanes et vulgaires:

"Que faut-il faire lorsqu'une femme est plus fougueuse que l'homme? Aussi impétueuse soit-elle, à peine lui écarte-t-on les jambes, la violence de son désir se calme et elle se sent satisfaite.

"Ainsi le yoni, d'abord rigide et fermé devient souple et relaxé; le mari serre entre ses propres cuisses celles de sa compagne de façon qu'elle puisse lutter avec lui au moment de l'union.

"Si la femme n'est âgée que de treize à vingt ans et que l'homme ait atteint une certaine maturité qui lui a ôté sa vigueur originelle, que faut-il faire pour mettre sur un pied d'égalité le couple?

"Dans ce cas précis, il faut écarter au maximum les jambes de la femme pour diminuer sa force; cet expédient pourra masquer l'infériorité de l'homme".

On compte cinq Bandha ou A'sana principaux. Il s'agit des positions et des différentes manières de faire l'amour et nous les décrirons en respectant le bon ordre.

L'Uttana-bandha (position sur le dos): cette A'sana, ainsi appelée par les hommes experts dans l'Art de l'Amour, indique la position de la femme allongée sur le dos alors que le mari se blottit contre elle.

Mais il n'y a rien d'autre à ajouter? Mais si! bien sûr! il existe onze subdivisions:

Le Samapada-uttana-bandha se fait lorsque le mari couche la femme sur le dos, lui soulève les jambes et les pose sur ses propres épaules, puis il s'assoit près d'elle et là pénètre.

Le Nagara-uttana-bandha a lieu quand l'homme, après avoir fait allonger la femme sur le dos, s'assoit entre ses jambes qu'il soulève et met autour de sa taille, puis il s'unit ainsi avec elle.

Le Traivikrama-uttana-bandha est la position dans laquelle l'une des jambes de la femme reste appuyée sur le lit ou sur le tapis, alors que l'autre jambe est posée sur la tête du mari qui se tient sur les deux mains. Cette A'sana mérite d'être admirée.

Le Vyomapada-uttana-bandha a lieu lorsque la femme, appuyée sur le dos, se prend les jambes avec les mains et les soulève vers l'arrière jusqu'à ce qu'elles touchent ses cheveux; le mari intervient à ce moment-là, il s'assoit très près et s'unit à elle en lui tenant les seins avec les mains.

Le Smarachakrasana, ou position de la roue du Kama, est une manière de faire l'amour que les libertins apprécient particulièrement. Le mari s'assoit entre les jambes de sa femme, tend ses bras sur les côtés les allongeant le plus possible, et dans cette position jouit.

L'Avidarita est la position dans laquelle la femme soulève les jambes jusqu'à

"Il est nécessaire que les femmes soient traitées en tenant compte du Satva ou disposition héritée d'une vie antérieure".

ce qu'elles touchent la poitrine de l'homme qui, assis entre ses cuisses, l'enlace et la pénètre.

Saumya-bandha est le nom donné par les poètes anciens à cette position, très en vogue parmi les experts du Kama Shastra. La femme est allongée sur le dos, et l'homme comme toujours, est assis; il lui passe les deux mains sous le dos, l'enlace étroitement et elle lui répond en s'agrippant solidement à son cou.

Jrimbhita-asana: pour arquer le corps de la femme, le mari dispose sous son dos et sa tête des coussins et des traversins; puis il s'agenouille sur un coussin disposé sur le tabouret dont on se sert en amour. Cette union est merveilleuse et offre une grande jouissance aux deux partenaires.

Le Veshtita-asana se fait quand la femme, allongée sur le dos, croise les jambes en soulevant légèrement les pieds; cette position s'adapte particulièrement aux couples ardents de désir.

Le Venuvidarita se fait ainsi: la femme, toujours sur le dos, pose une jambe sur l'épaule du mari et allonge l'autre sur le tapis ou sur le lit.

Le Sphutma-uttana-bandha est la position, durant laquelle le mari, après la pénétration, lève les jambes de sa femme, toujours allongée sur le dos, et lui serre étroitement les cuisses.

Après ces dix types de Uttana-bandha, nous examinerons le Tiryak (position oblique ou de profil) où la femme est allongée sur le côté. On distingue trois variantes:

Le Vinaka-tiryak-bandha se pratique ainsi: le mari s'étend près de sa femme, lève une jambe et la pose sur la hanche de sa compagne alors que l'autre repose sur le lit ou le tapis. Cette A'sana (position) n'est adaptée qu'en compagnie d'une femme adulte; avec une personne plus jeune le résultat n'est pas satisfaisant.

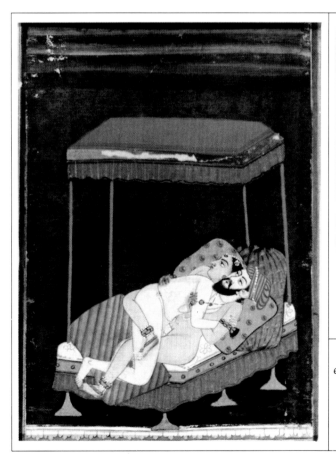

Le Népal était un des principaux centres du tantrisme qui enseigne que la perfection s'obtient en satisfaisant chaque désir.

Peut-être n'est-ce pas un effet recherché par l'artiste, mais il semblerait que ce couple soit surpris pendant une union illicite, ce qui attire les critiques les plus violentes de l'auteur.

Le Samputa-tiryak-bandha est la position durant laquelle les deux amants, allongés sur le côté, ne bougent ni ne déplacent les membres.

Le Karkata-tiryak-bandha: dans cette position, les deux amants sont couchés sur le côté, le mari se trouve entre les cuisses de sa femme, l'une sous lui et l'autre sur ses hanches, légèrement en dessous du torse.

La description des trois formes du Tiryak-bandha est terminée mais nous devons examiner maintenant la position Upavisha (assise) dont il existe dix variantes.

Padm-asana: le mari, dans cette position préférée par beaucoup, s'assoit les jambes croisées sur le lit ou sur le tapis et prend la femme dans ses bras en la tenant par les épaules.

Upapad-asana: dans cette position, les deux amants sont assis, la femme surélève légèrement une jambe en plaçant une main dessous, alors que le mari la pénètre.

Vaidhurit-asana: le mari ceint très étroitement avec ses bras le cou de sa femme, et elle lui fait de même.

Phanipash-asana: le mari serre les pieds de sa femme et elle ceux du mari.

Sanyaman-asana: le mari passe les jambes de sa femme sous ses bras et les serre avec les coudes; il la tient par le cou avec les mains.

Kaurmak-asana ou position de la tortue: le mari s'assoit de façon que sa bouche, ses bras et ses jambes touchent les parties correspondantes de la femme.

Parivartit-asana: en plus du contact réciproque des bouches, des bras et des jambes, le mari doit faire passer fréquemment sous les bras les jambes de la femme, à la hauteur du coude.

Yugmapad-asana est le nom donné par les poètes à la position suivante: le mari assis les jambes écartées pénètre sa femme, puis unit en les serrant les cuisses de sa femme.

Vinarditasana: cette union ne peut être pratiquée que par un homme fort et une femme très légère; il la soulève en tenant ses jambes sur ses bras pliés et la fait rouler de droite à gauche, mais non d'avant en arrière, jusqu'au moment suprême.

Markatasana: c'est la même position que la précédente mais le sens du mouvement change. Le mari fait rouler la femme sur une ligne droite par rapport au visage, d'avant en arrière et non d'un côté à l'autre.

Ainsi se terminent les formes possibles de Upavishta ou position assise. Analysons maintenant l'Utthita (position debout) qui comprend trois variantes:

Janu-kuru-utthita-bandha (position qui repose sur les genoux et les coudes): dans ce cas là aussi, l'homme doit avoir une grande force physique. Les amants sont face à face, le mari passe ses bras sous les genoux de la femme et la soutient; puis il la soulève jusqu'à sa taille et la pénètre alors qu'elle entoure son cou de ses mains.

Hari-vikrama-utthita-bandha: pour cette position, le mari lève l'une des jambes de sa femme qui est debout. C'est une position qui plait beaucoup aux jeunes femmes.

Kirti-utthita-bandha: l'homme doit toujours avoir de la force mais moins que dans le cas de la première variante. La femme étreint son mari avec les mains et enroule ses jambes autour de la taille de l'homme, se suspendant presque à lui; il lui soutient les hanches avec ses avant-bras.

Les différentes positions Utthita ou debout ont été toutes décrites et il nous reste encore à expliquer le Vyantha-bandha ou union avec une femme couchée sur le ventre. On ne connait que deux variantes de cette A'sana:

Dhenuka-vyanta-bandha (la position de la vache): la femme se met à quatre pattes mais en prenant appui sur les mains et les pieds (pas sur les genoux); le mari s'approche par derrière et s'appuyant contre elle, la possède comme s'il était un taureau. Ce genre d'accouplement est bien vu du point de vue religieux[30].

Aybha-vyanta-bandha (ou Gajasawa, position de l'éléphant): la femme se couche de façon que visage, sein, estomac et cuisses touchent tous le lit ou le tapis; l'homme s'étend sur elle, se courbe comme un éléphant en contractant le bassin, pousse pour pénétrer par-dessous et s'unit.

"Oh! Rajah!", s'exclama le chef de file des poètes, Kalyana-Malla, "il existe encore de nombreuses positions, comme l'Harinasana, le Sukrasana, le Gardhabasana, etc; les gens ne les connaissent pas et il est inutile de les diffuser car elles sont très difficiles à exécuter; j'ajouterais même que certaines présentent des inconvénients qui les excluent et les interdisent; je ne les ai même pas mentionnées. Mais si tu désires vraiment découvrir encore quelque secret sur ces positions, je te prie de le demander et ton serviteur essayera de combler ta curiosité".

"Très bien!" s'écria le roi. "Je désire profondément que tu me décrives le Purushayitabandha".

"Ecoute, oh! Rajah" répliqua le poète, "maintenant, je t'exposerai tout ce qu'il faut savoir sur cette forme d'union sexuelle".

Le Purushayitabandha est l'opposé de ce qui se fait habituellement. Dans ce cas, l'homme couché sur le dos, attire la femme vers lui et la pénètre. Cette position présente des avantages quand l'homme, se sentant fatigué, ne peut plus faire d'efforts physiques et que la femme n'est pas entièrement satisfaite car son suc amoureux n'est pas encore tari. Ainsi la femme doit faire étendre le mari sur le dos, sur le lit ou le tapis, se coucher sur lui et satisfaire ses propres désirs. Ce type d'union présente trois variantes:

Viparita-bandha, ou position inverse: la femme est allongée sur le corps étendu de son mari, les seins contre la poitrine de l'homme, elle lui serre la taille avec les mains tout en roulant des hanches dans toutes les directions en s'unissant à lui.

Purushayita-bhramara-bandha (comme la reine des abeilles): la femme fait étendre l'homme sur le lit ou le tapis, s'accroupit sur ses cuisses, serre étroitement les jambes après avoir introduit le linga; en faisant un mouvement circulaire avec la taille, tout comme si elle se transformait en baratte, elle jouit du mari et obtient une satisfaction totale.

Utthita-uttana-bandha: la femme dont le désir n'a pas été assouvi durant l'union précédente, doit faire coucher le mari sur le dos et, assise les jambes croisées sur les cuisses, elle prend le linga et se fait pénétrer; puis elle fait avec le bassin des mouvements vers le haut et le bas, se soulevant et s'abaissant; elle éprouvera ainsi un grand plaisir.

Pendant la pratique de toutes ces formes de Purushayita. qui sont à l'opposé des habitudes naturelles, la femme retiendra sa respiration selon le mode Sitkara; elle sourira avec douceur et feindra une certaine honte; son visage aura une expression tellement irrésistible qu'il est impossible de la décrire. Puis elle dira au mari: "Oh! mon chéri! Oh! mon coquin! Aujourd'hui tu es soumis à mes ordres, tu es devenu mon esclave toi qui as perdu la bataille de l'amour!". Le mari lui caressera alors les cheveux selon les règles, l'enlacera, l'embrassera sur la lèvre inférieure; ainsi elle relaxera tout son corps, fermera les yeux et tombera en une extase de joie.

Que la femme se souvienne, chaque fois qu'elle désirera jouir de la pratique du Purushayita, le plaisir de son mari ne sera pas parfait si elle ne s'applique pas à la tâche. Elle devra pour cela apprendre à fermer et contracter le yoni jusqu'à ce qu'il serre solidement le linga, comme si elle désirait l'ouvrir et le fermer avec un doigt, comme le fait la main de la jeune-fille Gopala en trayant la vache. Ceci ne s'acquiert qu'avec l'expérience et en se concentrant sur la partie en question, exactement comme le font les personnes qui doivent affiner leur ouïe ou leur sens du toucher. Pendant qu'elle fera ceci, elle invoquera: 'Kamadeva! Kamadeva!'

30. On peut facilement penser que cette affirmation est une déduction ironique ajoutée par Burton: en effet la vache est sacrée pour les Hindous.

Les positions debout, Utthita, sont celles qui requièrent de la part de l'homme une plus grande force physique.

pour obtenir la bénédiction qui favorisera la réussite. Elle sera heureuse quand elle s'apercevra qu'une fois apprise cette technique, on ne l'oublie plus. Le mari la préférera à toutes les autres femmes et ne l'échangerait pas même contre la plus belle Rani (reine) qui existe dans les trois mondes: c'est dire à quel point, une femme maîtresse dans l'art de cette contraction, est attrayante pour l'homme.

Cependant les sages excluent formellement du Purushayita divers genres et conditions de femmes; nous n'énumérerons que les principales catégories qui encourent cette interdiction.

Un, la femme Karini; deux, la Harini; trois, la femme enceinte; quatre, la femme qui a accouché depuis peu; cinq, une femme délicate et maigre car sa constitution ne supporterait pas l'effort nécessaire; six, une femme malade; sept, une vierge; huit, une jeune fille qui n'a pas atteint encore la puberté.

Tout en concluant ce chapitre sur les jouissances et les plaisirs intérieurs, je souligne que si le mari et la femme vivent ensemble en parfaite harmonie, unis en un seul corps et une seule âme, ils seront heureux en ce monde et aussi dans celui qui lui succèdera.

Leurs actions bonnes et charitables serviront d'exemple au genre humain et la paix et l'harmonie se traduiront pour eux en salut. Personne n'a encore écrit un livre pour empêcher la séparation des couples mariés et pour leur indiquer comment unis, on doit parcourir le chemin de la vie. Ayant pris conscience de ce fait, j'ai ressenti une grande compassion et j'ai composé ce traité.

La principale raison de la séparation des couples mariés et ce qui pousse le mari à avoir des relations avec des femmes étrangères et la femme à chercher réconfort dans les bras d'inconnus sont le manque de variété et de plaisir et la monotonie qui suit la possession. Sur ce point il n'y a aucun doute. La monotonie génère la satiété et la satiété le dégoût pour l'union sexuelle, plus senti par l'un ou par l'autre; ainsi naissent des sentiments négatifs, le mari ou la femme cède à la tentation et l'autre poussé par la jalousie en fait tout autant. En effet, il est rare que tous deux s'aiment avec la même intensité et il arrive donc que l'un ou l'autre soit plus facilement égaré par le désir sexuel. Ces séparations conduisent à la polygamie, aux adultères, aux avortements, et à toutes sortes de maux; le mari et la femme par leur faute sombrent dans l'abîme, mais ils entrainent aussi le nom de leurs ancêtres en les arrachant de la résidence des beaux morts (paradis) pour les condamner à l'enfer ou les faire retourner dans ce monde. Ayant compris comment ces querelles et ces incompatibilités naissent, j'ai indiqué dans ce livre comment, en variant les plaisirs qu'il procure à sa femme, le mari peut vivre avec elle comme s'il avait trente-deux femmes différentes, variant sa jouissance et rendant impossible sa satiété. J' ai aussi enseigné chaque art utile, chaque expédient et chaque pratique mystérieuse que peut utiliser la femme pour être plus propre, belle et désirable aux yeux de l'époux. Qu'il me soit donc concédé de conclure avec des versets bénis:

"Puissent l'Homme et la Femme
chérir ce traité Ananga-Ranga
aussi longtemps que le Gange, Fleuve Sacré
surgira de Shiva,
à la gauche duquel trône sa femme Gauri;
aussi longtemps que Lakshimi aimera Vishnu;
aussi longtemps que Brahama se concentrera
sur l'étude des Veda;
et aussi longtemps que la terre,
la Lune et le Soleil vivront".

LE
JARDIN PARFUMÉ
DU
CHEIKH NEFZAWI

Louange à Dieu qui a caché la source des suprêmes plaisirs de l'homme dans le sexe de la femme, et les plaisirs les plus profonds de la femme dans le sexe de l'homme!

Lui qui a décidé que le bien-être, la satisfaction et le bonheur du corps d'une femme dérivent de la qualité de l'accueil qu'il offre au membre viril, et que l'homme n'aura de cesse jusqu'à ce qu'il ait accompli noblement son devoir!

Quand deux personnes sont attirées réciproquement, commence entre elles un combat plein de vie, riche de baisers, d'humour et d'enlacements. Le contact des bassins fait naître bien vite la jouissance: l'homme, avec la fierté de sa vigueur, se meut comme un pilon, et la femme le suit habilement avec des ondulations lascives du corps. Très vite, hélas trop vite, arrive l'éjaculation!

Dieu nous a donné en offrande le baiser sur la bouche, sur les joues et sur le cou, le sucement de lèvres délicieuses pour provoquer l'érection au moment voulu. C'est lui qui, avec sagesse, a embelli, avec les seins, le buste de la femme, avec le double menton[1] son cou, et avec des bijoux et des brillants ses joues. Il lui a donné des yeux qui inspirent l'amour et des cils effilés comme une épée brillante. La beauté de son ventre suavement arrondi a été accrue par des hanches merveilleuses et un nombril délicieux. Il l'a dotée de fesses dessinées avec noblesse et il l'a posée sur des cuisses majestueuses. Au milieu, il a ajouté le champ de bataille qui, lorsqu'il est charnu, ressemble par son ampleur à la tête d'un lion. Le nom qui lui a été donné est 'vulve'[2]. Oh, combien d'hommes sont morts pour elle! Combien et hélas non des moindres!

Dieu a donné à sa créature une langue, deux lèvres et une forme semblable à l'empreinte laissée par le pied d'une gazelle sur le sable du désert.

L'ensemble est soutenu par deux splendides colonnes, témoins de la puissance et de la sagesse de Dieu; elles ne sont ni trop longues, ni trop courtes et sont ornées de genoux, de mollets et de chevilles sur lesquelles se posent des bijoux.

L'Omniprésent a immergé la femme dans une mer de splendeur, de volupté et de plaisir; il l'a vêtue d'habits précieux et illuminé son visage de sourires.

Que Dieu soit loué, lui qui a créé la femme avec sa beauté et son corps attirant: qui l'a dotée d'une chevelure, d'un corps, d'un cou, de seins gonflés, de mouvements et de gestes amoureux qui accroissent le désir.

Le Patron de l'univers a donné aux femmes le pouvoir de séduction sur tous les hommes: faibles ou forts, ils tombent tous sans distinction sous le charme de leur amour. La vie civile dépend des femmes: elles seules décident d'élire un domicile fixe ou itinérant. L'état de mortification des cœurs de ceux qui aiment, mais qui sont séparés de l'objet de leur amour, brûle leur poitrine du feu des flammes de la passion; la soumission, le mépris et la misère les oppriment et les rendent victimes des actes commis au nom de leur passion: voilà le résultat d'un ardent désir d'union.

Moi, serviteur de Dieu, je lui rends grâce d'avoir rendu les hommes incapables de résister au charme d'une belle femme, incapables de se libérer du désir de la posséder.

Je déclare ici qu'il n'y a pas d'autre Dieu en dehors de Dieu lui-même, et qu'il est unique! Je donne ainsi scrupuleusement mon témoignage en vue du Jugement Dernier.

Je témoigne aussi de l'existence de notre Seigneur et Patron Mahomet, Serviteur de Dieu et Seigneur des Prophètes (puissent la bénédiction et la miséricorde de Dieu être transmises à lui et aux siens!). Je réserve mes prières et mes bénédictions pour le jour du règlement des comptes: que Dieu les exauce!

L'histoire de cette œuvre

Le point de départ de cette œuvre est un petit livre intitulé *Le flambeau de l'univers* qui traite des mystères de la création, un livre dont avait entendu parler

1. L'idéal féminin des Arabes était la femme bien en chair.

2. Ce terme, qui nous vient de la médecine pour nommer le sexe féminin est utilisé jusqu'à la fin de l'ouvrage. Ayant adopté le terme 'yoni', plus séduisant pour le Kama Soutra et l'Ananga-Ranga, il est surprenant que Burton n'ait point choisi d'utiliser un terme issu de la langue arabe: s'il a considéré la parole 'kus' trop vulgaire, personne en dehors de lui ne pouvait connaître une solution meilleure.

"Ses joues doivent former un ovale parfait; elle aura un nez élégant et une bouche gracieuse; ses lèvres seront vermeilles...".

Une série de belles peintures Mughal illustre les joies de l'amour physique (ci-dessus et à la page suivante).

le Vizir de notre Seigneur ABD EL AZIZ, maître de Tunis, le bien-protégé.

L'illustre vizir était son poète, son compagnon, son ami et son secrétaire privé. Il était judicieux, expert, sagace et sage, le plus instruit des hommes de son époque; son avis était souvent recherché. Il s'appelait Mohammed ben Ouana ez Zouaoui et appartenait à la tribu des Zouaoua. Il avait grandi à Alger où il avait connu notre Seigneur Abd el Aziz el Hafsi. Tous les deux s'enfuirent à Tunis le jour de la prise d'Alger (1510) par les Espagnols (puisse Dieu, dans sa toute puissance, les préserver jusqu'au jour de la Résurrection!) et là, le Seigneur le nomma Grand Vizir.

Quand il prit connaissance du livre que j'ai cité, il me convia à me rendre d'urgence chez lui. J'y allai immédiatement et je fus reçu avec la plus grande courtoisie. Trois jours après il vint me rendre visite et me montrant mon petit livre, il me dit:

"Ceci est ton œuvre!";

Voyant que je rougissais, il ajouta:

"Tu n'as aucune raison d'avoir honte car tout ce que tu as écrit n'est que pure vérité; il n'y a rien qui puisse effrayer qui que ce soit. De plus, tu n'es pas le premier à écrire sur ce thème, et je jure sur Dieu que les notions contenues dans ce livre devraient être amplement diffusées. Seuls les ignorants et les peureux pourraient le nier ou se moquer d'un tel sujet. Cependant il n'est pas exhaustif".

Je lui demandai alors des explications.

"Oh, Seigneur» répliquai-je «Tout ce que tu me demanderas sera facile à réaliser si Dieu se montre favorable à l'œuvre".

Je me mis immédiatement au travail pour compléter le traité, implorant l'aide de Dieu (qu'Il envoie ses bénédictions sur Son Prophète et qu'Il nous accorde son salut et sa miséricorde!).

J'ai intitulé mon Oeuvre "Le Jardin Parfumé pour le repos de l'Esprit".

Et je prie Dieu, qui a conçu toute chose pour notre bien (et il y a un seul Dieu et de lui proviennent toutes les bonnes choses) de me soutenir et de me guider sur la bonne voie. Notre force et notre bonheur reposent en Dieu, l'Omniprésent et le Très Haut!

Des hommes dignes de louanges

Sache, ô Vizir (puisse la bénédiction de Dieu se poser sur toi!), qu'il existe divers types d'hommes et de femmes; certains sont dignes de louanges, d'autres ne méritent que des blâmes.

Lorsqu'un homme estimable se trouve en compagnie de femmes, son pénis grossit, devient ferme, vigoureux et dur; il est lent à éjaculer et après l'orgasme qui provoque l'émission du sperme, il est prêt pour une nouvelle érection.

Un tel homme est aimé avec passion et apprécié par les femmes car elles n'aiment l'homme que pour son sexe. Donc sa verge doit être bien développée, son buste doit être mince mais les fesses doivent être vigoureuses; il doit atteindre lentement l'éjaculation, mais rapidement l'érection; son membre doit arriver au fond du vagin, où il doit se diriger directement et précisément.

Un homme ainsi doté sera aimé tendrement.

Les qualités recherchées par les femmes chez les hommes

On raconte qu'un jour Abd el Melik ben Merouan fit appeler sa maîtresse Leilla et l'interrogea sur divers sujets. Entre autres, il lui demanda quelles sont les qualités que cherche une femme chez l'homme.

Elle répondit: "Oh, seigneur, les hommes doivent avoir des joues comme les nôtres". "Et quoi d'autre?".

"Des cheveux comme les nôtres; en réalité ils doivent te ressembler, ô Prince des Croyants: car en vérité si un homme n'est pas riche et puissant il n'aura aucun succès auprès des femmes".

Au sujet de la longueur du membre viril

Pour que le membre viril satisfasse les goûts d'une femme, sa longueur doit correspondre au maximum à la largeur de trois mains et au minimum à la largeur d'une main et demie[3]. L'homme dont le sexe est long de moins de deux largeurs n'aura qu'un succès insignifiant.

3. La nature approximative de ces mesures dans l'antique érotologie a déjà été notée: la tendance hindoue était à la sous-évaluation, mais nous rappelons au lecteur que l'hyperbole est indispensable aux écrivains arabes.

Au sujet de l'utilité des parfums dans le rapport sexuel

L'histoire de Mosailama[4]

4. La coutume d'utiliser une histoire comme exemple ou comme parabole séculaire est typiquement arabe.

Les parfums ont le pouvoir d'exciter le désir sexuel tant chez les hommes que chez les femmes. Quand une femme respire le parfum dont l'homme s'est imprégné, elle perd tout pouvoir de contrôle et c'est ainsi que souvent l'homme acquiert une irrésistible capacité de conquête.

Pour illustrer ce sujet, on raconte que Mosailama l'imposteur, fils de Kais (que Dieu le maudisse!) se vantait d'avoir le don de la prophétie et d'être au même niveau que le prophète de Dieu (puissent les bénédictions et le salut être avec Lui!). Pour cette raison, lui et un grand nombre d'Arabes ont subi la colère de l'Omniprésent.

Mosailama avec ses mensonges et ses impostures modifia le contenu du Coran. Au sujet de la Sourate du Coran que l'Ange Gabriel (Que Dieu lui concède le salut!) porta au prophète (Que la miséricorde de Dieu soit avec Lui!) Mosailama assura aux hommes de mauvaise nature qui lui rendaient visite: "Cette Sourate m'a été confiée par l'Ange Gabriel".

Sachez maintenant ce qu'il arriva à cette femme de la tribu des Beni-Temim dont le nom était Sheja et Temimia et qui prétendait être une prophétesse: elle avait entendu parler de Mosailama et lui avait entendu parler d'elle.

C'était une femme puissante car les Béni-Temim étaient une grande tribu. Elle dit: "Il n'est pas admissible que deux personnes puissent prophétiser. Ou c'est lui le prophète et alors moi et mes disciples nous observerons ses lois, ou alors le prophète c'est moi et lui et ses disciples devront observer les miennes".

Ceci se passa après la mort du Vrai Prophète (sur lequel puisse se poser la bénédiction de Dieu!).

Sheja écrivit alors à Mosailama la lettre suivante: "Il n'est pas admissible que deux personnes exercent les activités de prophète en même temps, une seule personne peut être le prophète; nous nous rencontrerons et nous confronterons nos doctrines, nous et nos disciples. Nous discuterons des révélations de Dieu et nous observerons les lois de celui qui sera déclaré le vrai prophète".

Puis elle ferma la lettre et la donna à un messager en lui disant: "Porte ce message à el Yamama et donne le à Mosailama ben Kais; je suivrai tes pas avec mon armée".

Le lendemain la prophétesse monta à cheval et accompagnée de sa suite, elle suivit les traces du messager. Quand celui-ci arriva chez Mosailama, il le salua et lui remit la lettre.

*"Pour avoir du succès auprès des femmes l'homme doit les courtiser
avec des attentions raffinées...".*

*"Ne vous unissez pas avec une femme si vous ne l'avez précédemment excitée
avec des caresses, ainsi le plaisir sera réciproque".*

Mosailama l'ouvrit, la lut et en comprit la teneur; il s'effraya d'un tel message et demanda tout de suite conseil à sa suite, mais personne ne fut capable de l'aider. Alors qu'il restait perplexe, l'un de ses disciples les plus importants s'approcha et lui dit:

"Ô, Mosailama, calme ton âme et restaure tes yeux; je vais te donner un conseil comme le ferait un père à son fils".

"Parle, et que tes paroles soient sincères" répliqua Mosailama.

"Demain matin, fais installer une tente de brocart coloré à la périphérie de la ville et meuble-la somptueusement. Embaume-la de délicieux parfums, comme la rose, la fleur d'oranger, la jonquille, le jasmin, l'œillet et d'autres encore. Une fois que tu auras fait cela, tu mettras dans la tente des encensoirs d'or remplis de parfums comme l'aloès vert, l'ambre gris et d'autres odeurs agréables. La tente doit être fermée de telle façon qu'aucune odeur ne puisse s'en échapper et lorsque les vapeurs seront devenues assez intenses pour imprégner l'eau qui se trouve dans la tente, tu monteras sur ton trône et tu enverras quelqu'un appeler la prophétesse qui devra y demeurer seule avec toi. Quand elle aura senti les parfums, elle sera charmée et tout son corps se relaxera et elle se sentira tomber en pâmoison. Quand tu l'auras possédée, tu te seras débarrassé de tous les tracas qu'elle pourrait te procurer par la suite".

"C'est un bon conseil", s'exclama Mosailama. "Mon Dieu, c'est vraiment une bonne idée!".

Il prit alors toutes les dispositions pour réaliser le plan. A peine vit-il que les vapeurs étaient assez intenses pour imprégner l'eau dans la tente, qu'il monta sur le trône et fit appeler la prophétesse. Quand il la vit s'approcher, il ordonna qu'on

La scène est idyllique mais nous craignons que ces amants, étonnés d'avoir été poussés si loin, ne soient en danger.

la fit pénétrer dans la tente. Elle entra, et lorsqu'ils furent seuls, il lui parla. Alors qu'il parlait, elle commença à perdre sa lucidité: elle semblait foudroyée et stupéfaite.

Quand il la vit dans cet état, il comprit qu'elle désirait faire l'amour et il lui dit: "Viens ici que je puisse te posséder, car cet endroit a été conçu à cet effet. Tu peux te coucher comme tu le désires, sur le dos, à quatre pattes, ou assumer la position de la prière, avec la tête par terre et les fesses en l'air comme un trépied. N'hésite pas à dire la position que tu désires, quelle qu'elle soit, tu seras exaucée".

"Je veux le faire de toutes les manières" répondit la prophétesse. "Que la révélation de Dieu pénètre en moi, ô Prophète de l'Omniprésent!".

Il se jeta immédiatement sur elle et en jouit comme elle le désirait, puis elle dit: "Quand je sortirai d'ici, demande-moi en mariage à ceux de ma suite".

Puis elle sortit de la tente et alla vers ses disciples qui lui demandèrent le résultat du colloque. Elle répondit:

"Mosailama m'a fait voir ce qui lui a été révélé, et je sais que cela est la vérité: obéissez-lui!".

Mosailama la demanda en mariage et la demande fut accueillie positivement. Quand les disciples lui demandèrent quels étaient les dons de la future épouse, il répondit:

"Je vous fais grâce de la prière de l'après-midi".

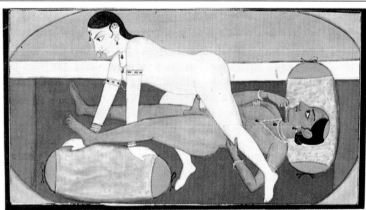

"Essayez diverses positions avec votre amante pour découvrir celle qui lui procure le plus de plaisir".

La mort de Mosailama avait été annoncée par les prophéties de Abou Beker (puisse Dieu le favoriser!). En effet il fut tué par Zeidben Khettab; d'autres disent que ce fut par Ouhsha, l'un de ses disciples.

Quant à Sheja, elle se repentit et devint musulmane. Successivement elle épousa un partisan du Prophète (puisse le Seigneur regarder avec faveur son mari!) Ainsi finit l'histoire.

Pour avoir du succès avec les femmes, l'homme doit avoir pour elles de nombreux égards.

Ses habits doivent être élégants, son visage proportionné et son allure doit se distinguer de celle des autres. Il doit être sincère et honnête, généreux et courageux. Il ne doit pas être présomptueux et doit être sympathique en compagnie d'autrui. Il doit être fidèle à sa parole: s'il fait une promesse, il doit la tenir; il doit toujours dire la vérité et ne jamais laisser en chantier ce qu'il a entrepris. Celui qui vante ses relations avec les femmes est une personne méprisable.

Au sujet des femmes dignes d'éloges

Sache, ô Vizir (puisse la bénédiction de Dieu descendre sur toi!) qu'il existe divers types de femmes, certaines dignes de louanges, d'autres qui ne méritent que le mépris.

Pour que la femme plaise à un homme elle doit avoir un beau visage, bien en chair. Sa chevelure doit être noire et son front grand; les sourcils noirs comme ceux des Éthiopiens, les yeux grands et noirs avec le blanc des yeux très blanc, les joues d'un ovale parfait. Elle doit avoir un nez élégant et une bouche gracieuse, les lèvres vermeilles, et vermeille aussi la langue. L'haleine doit être agréable, le cou long et flexible, la poitrine et les hanches amples; les seins durs et pleins, le ventre bien proportionné et le nombril gracieux et profond, la vulve saillante et charnue du pubis aux fesses, la fente étroite, sèche, douce au toucher et chaude; les cuisses fermes ainsi que les fesses, la taille fine, les mains et les pieds remarquables par leur élégance, les bras pleins et les épaules fortes. Si une femme possède toutes ces qualités, vue de face, elle est fascinante, de dos fatale. Si on l'observe quand elle est assise, elle ressemble à une coupole arrondie; si elle est couchée à un lit de plumes; si elle est debout à la hampe d'un drapeau. Quand elle marche, ses jambes se devinent sous sa robe. Elle ne parle et ne rit que rarement et toujours à bon escient. Elle ne sort jamais même pour rendre visite aux voisins. Elle n'a pas d'amies. Elle n'a confiance en personne et son mari est son seul réconfort. Elle n'accepte de dons que de la part de son mari ou de sa famille. Si des parents sont chez elle, elle ne se mêle pas de leurs affaires. Elle se conduit d'une manière juste et n'a rien à cacher. Elle ne gêne personne. Si son mari manifeste le désir de satisfaire son devoir conjugal, elle se conforme à son vouloir et parfois le devance. Elle l'aide dans son travail; elle ne se lamente ni ne pleure; elle ne se désintéresse pas de son mari lorsqu'il est abattu et triste, mais participe à ses peines et lui est proche en le caressant jusqu'à ce qu'elles s'atténuent et ne retrouve son calme que lorsqu'il redevient serein. Elle ne se donne à personne d'autre que son mari, même si sa vertu peut lui causer la mort. Elle couvre ses parties intimes, soigne tout avec la plus grande hygiène et cache à son mari toute chose qui pourrait lui être désagréable. Elle se parfume et se lave les dents avec l'écorce de noyer.

Tous les hommes devraient apprécier une telle femme.

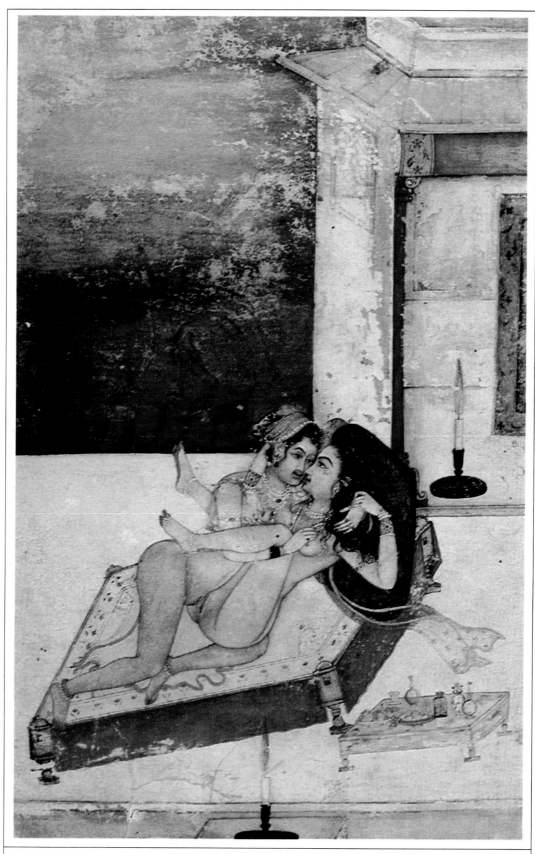

"Le 'Lien d'amour' est le mouvement le meilleur... les lesbiennes n'en pratiquent aucun autre".

Au sujet du rapport sexuel

Sache, ô Vizir (que Dieu puisse te protéger!) que lorsque tu veux faire l'amour, tu dois avoir l'estomac vide. C'est seulement dans ce cas que le rapport sera salutaire et bénéfique. Mais si tu as l'estomac plein, le résultat sera négatif pour les deux partenaires; tu pourrais être sujet à une attaque d'apoplexie ou de goutte et le minimum qui puisse t'arriver sera un blocage urinaire ou un abaissement de la vue. Fais en sorte que ton estomac soit exempt de tout excès de nourriture et de boisson et ainsi tu n'auras rien à craindre.

Ne t'unis pas avec une femme si tu ne l'as pas précédemment excitée avec des caresses badines, ainsi la jouissance sera réciproque.

Je te conseille de l'entretenir avec des préliminaires avant d'introduire ton sexe et accomplir l'acte sexuel. Tu la stimuleras en embrassant ses joues, en suçant ses lèvres et en mordillant ses mamelons. Tu embrasseras son nombril et ses cuisses et tu poseras ta main sur son pubis pour la provoquer. Tu lui mordras les bras et tu n'oublieras aucune partie de son corps; étreins-la étroitement pour lui faire sentir ta passion, puis en soupirant mêle tes jambes et tes bras aux siens.

Quand tu te trouves avec une femme dont les yeux sont languissants et qui soupire profondément, en somme, quand elle désire faire l'amour, laisse se fondre vos passions et se déchaîner la sensualité jusqu'à l'extrême; en effet c'est le moment favorable pour le plaisir. La femme éprouvera une suprême jouissance; tu

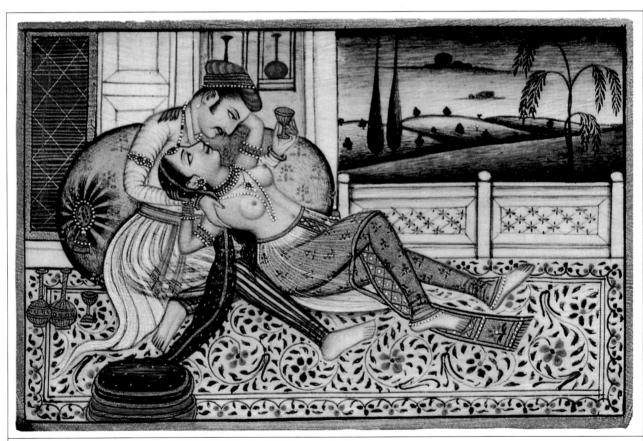

"Personne ne reste insensible au plaisir qui dérive de la différence de sexe, et le plaisir suprême de l'homme est l'union sexuelle".

"La femme tout comme l'homme ne sont pas satisfaits des caresses qui ne sont pas suivies du rapport sexuel".

l'aimeras davantage et elle t'étreindra. Il a justement été dit: "Quand tu entends une femme soupirer profondément; que tu vois ses lèvres et ses oreilles rougir alors que sa bouche se relaxe et ses mouvements se ralentissent; quand il semble qu'elle a besoin de dormir et bâille continuellement, sache que c'est le bon moment pour le rapport". Si tu la pénètres à ce moment-là, son plaisir sera extrême et éveillera certainement le pouvoir de contraction[5] de son vagin, ce qui produira sans nul doute la jouissance suprême aux deux partenaires; c'est là la meilleure garantie pour un amour durable.

Les préceptes suivants ont été dictés par un expert de l'art de l'amour: "La femme est un fruit qui n'exhalera son parfum que s'il est frotté avec les mains. Examinons par exemple le basilic: s'il n'est pas réchauffé par le contact des doigts il n'émane aucun parfum. Et savez-vous que l'ambre qui n'est pas réchauffé et travaillé garde tout son parfum pour lui?

Il se passe la même chose avec la femme: si tu ne la stimules pas avec des baisers et des flatteries, des morsures plaisantes sur les cuisses et des enlacements étroits, tu n'obtiendras pas ce que tu désires; tu ne trouveras aucun plaisir à partager avec elle ta couche et elle n'éprouvera aucune tendresse pour toi".

On raconte qu'un homme, ayant demandé à une femme les choses qui, pour elle, suscitent le plus l'amour envers un homme, reçut cette réponse: "Les choses qui éveillent l'amour au moment du rapport sont les caresses plaisantes qui

5. 'Jadeba', traduit par 'sucking power' en anglais, et ici, par pouvoir de contraction, est un terme fréquent dans le texte (Burton).

Le comportement sexuel des animaux fut étudié avec intérêt par le cheikh Nefzawi.

servent de préliminaires et l'union vigoureuse qui se termine par l'éjaculation. Crois-moi, les baisers, les mordillements, le sucement des lèvres, la pression des seins et la dégustation de la salive pleine de passion sont les choses qui garantissent un attachement durable. En agissant ainsi les orgasmes sont simultanés et la jouissance totale pour les deux partenaires. Si tu tiens compte de l'éveil de la contraction (voir note 5), tu ne pourras imaginer une jouissance plus grande. Si les choses ne se passent pas ainsi, si le plaisir de la femme est incomplet, si son désir n'est pas satisfait et la contraction n'est pas stimulée, elle n'éprouvera aucun amour pour son compagnon; mais quand la contraction entre en action, elle éprouve pour son amant l'amour le plus violent et le plus passionné qui existe, même si l'homme est le plus laid de la terre.
Essayez donc par tous les moyens de fondre vos orgasmes car là est le secret de l'amour''.

L'un des chercheurs les plus habiles qui ont mené des études sur les femmes rapporte cette confidence féminine comme témoignage: "Vous, les hommes, qui recherchez l'amour et la tendresse des femmes et qui désirez les conserver, souvenez-vous de préparer avec des caresses les femmes à l'union. Conduisez-les à la jouissance en ne négligeant rien qui puisse les amener à la réalisation de ce but. Ayez soin de les stimuler de toutes parts et avec tous les moyens possibles et videz votre esprit de tout autre pensée. Ne laissez pas échapper le moment

L'érotologie islamique bien plus que la tradition hindoue s'intéressait également aux sujets médicaux.

propice au plaisir: lorsque vous remarquez que ses yeux sont légèrement humides et sa bouche entrouverte, vous pouvez vous unir à elle, mais jamais avant. Donc, hommes, quand vous avez conduit la femme à ce moment magique, introduisez votre sexe; soyez attentifs à vous mouvoir de façon qu'elle éprouve un plaisir qui satisfera tous ses désirs. Ne vous levez pas encore et gardez le contact avec ses seins, mais faites glisser vos lèvres sur ses joues et laissez votre épée se reposer dans son fourreau. Essayez par tous les moyens d'éveiller la contraction et ainsi votre œuvre sera couronnée d'un digne succès. Si vous obtenez le succès grâce à la bienveillance du Très-Haut, ayez la délicatesse de ne pas retirer immédiatement le sexe, mais laissez-le à l'intérieur pour déguster jusqu'à la dernière gorgée la coupe du plaisir. Prêtez l'oreille attentivement aux soupirs, aux pleurs et aux gémissements de la femme car ils témoignent la force du plaisir que vous lui avez offert. Quand la fin de la jouissance marque aussi la fin de vos effusions amoureuses, rappelez-vous de ne pas vous lever brusquement, mais retirez-vous avec délicatesse; restez allongé sur le côté droit, près de la femme sur ce lit de plaisir. De cette façon ne pourra naître que du bien et vous ne serez pas de ceux qui montent une femme comme un mulet, sans tenir compte des principes de la forme et de l'art amoureux, et qui se retirent et s'en vont tout de suite après l'orgasme. Une telle méthode aussi grossière et brutale doit être bannie car elle prive la femme de tout plaisir».

Pour résumer, il est nécessaire, pour celui qui veut être compétent dans l'art de l'amour, de ne négliger aucune de mes recommandations car le bonheur de la femme dépend du respect de ces conseils.

Au sujet de tout ce qui favorise l'union

Sache, ô Vizir (que la miséricorde de Dieu t'accompagne!), que si tu désires expérimenter un rapport agréable qui procure la même satisfaction et le même plaisir aux deux partenaires, il est nécessaire de commencer par les jeux amoureux avec la femme et de l'exciter en la mordillant, l'embrassant et la caressant. Fais-la rouler sur le lit, tantôt sur le dos, tantôt sur le ventre jusqu'au moment où tu vois dans ses yeux que le moment du plaisir est arrivé, comme je l'ai déjà dit dans le chapitre précédent (et, sur mon honneur, je n'ai pas été avare de descriptions!).

Donc, quand tu vois les lèvres d'une femme rougir et trembler, ses yeux se faire languissants et que ses soupirs sont profonds, sache qu'elle désire faire l'amour et que c'est le moment de te mettre entre ses cuisses et de la posséder. Si tu suis mes conseils, vous jouirez ensemble d'un rapport très agréable qui vous laissera un souvenir délicieux. Quelqu'un a dit: "Si tu désires faire l'amour, couche la femme par terre, enlace-la fortement et joignez vos lèvres; puis serre-la, suce-la, mords-la, embrasse-la sur le cou, sur le sein, sur le ventre et sur les hanches, maltraite-la jusqu'à ce que tu la vois tremblante de désir. Quand elle atteint cet état, introduis ton pénis. Si tu agis ainsi votre jouissance sera simultanée et cela est le secret du plaisir. Si tu négliges ces préliminaires la femme ne comblera pas tes désirs et n'éprouvera quant à elle aucune satisfaction".

Quand l'acte est accompli et que tu désires te lever, ne le fais pas tout de suite et quitte avec délicatesse son flanc droit et, si elle a conçu, elle accouchera d'un fils, s'il plaît à Dieu! Un sage a dit (Que Dieu lui pardonne!) que si quelqu'un pose la main sur la vulve d'une femme enceinte et dit: "Au nom de Dieu! Que sa miséricorde soit avec Son Prophète! ô Dieu, je te prie, au nom du Prophète, fais que ce soit un garçon", il peut arriver que par la volonté de Dieu et en considération de notre Seigneur Mahomet (sur lequel se pose la miséricorde de Dieu!) la femme mette au monde un garçon.

Ne bois pas d'eau de pluie juste après l'union, car cela affaiblirait les reins. Si tu désires répéter l'acte amoureux, parfume-toi avec des arômes doux et approche-toi de la femme et tu obtiendras un résultat heureux.

L'artiste Mughal, qui a peint ces femmes voluptueuses d'un harem, possédait une sensibilité pour les tons de la chair qui rappelle celle de Vargas.

Il est recommandé de se reposer après l'acte sexuel et de ne pas faire d'exercices physiques violents.

Au sujet des diverses positions pour faire l'amour

Les façons de faire l'amour sont innombrables et variées, et je t'enseignerai les diverses positions. Dieu a dit: "La femme est ton champ de bataille, approche-toi d'elle armé de désir!" (Coran).

Selon tes goûts, tu peux choisir la position qui te plaît le plus pourvu que le rapport se fasse toujours avec l'organe prévu à cet effet, la vulve.

Première position: Fais étendre la femme sur le dos et soulève-lui les cuisses; puis, t'insérant entre ses jambes introduis le pénis. Si tu diriges la pointe des pieds vers le sol tu pourras bouger de façon opportune. Cette position est adaptée à ceux qui ont un long pénis.

Deuxième position: Si ton pénis est petit, couche la femme sur le dos et soulève lui les jambes de façon que ses orteils touchent ses oreilles. De cette manière, les fesses sont en l'air et la vulve poussée vers l'extérieur. C'est à ce moment-là que tu peux introduire ta verge.

Troisième position: Fais étendre la femme par terre et mets-toi entre ses cuisses; puis, après avoir posé l'une de ses jambes sur une épaule et l'autre sous un bras, accomplis la pénétration.

Quatrième position: Étends la femme par terre et mets ses jambes sur tes épaules; dans cette position ton pénis se trouvera exactement en face de la vulve qui sera surélevée. C'est le moment adapté pour introduire ton sexe.

Cinquième position: Couche la femme par terre sur un côté; puis étends-toi près d'elle de façon à te mettre entre ses cuisses et introduis ton pénis. Cette position allège les douleurs des rhumatismes et de la sciatique[6].

Sixième position: Fais agenouiller la femme en l'appuyant sur ses coudes comme dans la position de la prière. Ainsi la vulve saillit vers l'arrière sous les fesses. Et tu dois l'attaquer dans cette position.

Septième position: Étends la femme sur le côté et toi assis sur les talons tu mettras sa jambe (celle qui est au-dessus) sur ton épaule et l'autre posée sur tes cuisses. Elle reste allongée sur le côté et toi tu te places entre ses cuisses, puis tu introduis ton pénis en tenant ta compagne avec tes mains et en la balançant d'avant en arrière.

Huitième position: Couche la femme sur le dos et agenouille-toi sur elle à califourchon.

Neuvième position: Fais allonger la femme sur le dos ou sur le ventre, sur une saillie du terrain légèrement surélevé, son corps face au tien. Ainsi la vulve se trouvera devant ton sexe que tu n'auras qu'à l'introduire.

Dixième position: Allonge la femme sur un divan assez bas en lui faisant tenir le support en bois avec les mains; puis après avoir mis ses jambes autour de tes hanches et lui avoir demandé de t'étreindre, tu introduiras ton pénis en te tenant au bois du divan. Quand tu commenceras à l'aimer, tes mouvements devront suivre un rythme régulier.

Onzième position: Allonge la femme sur le dos et glisse-lui un coussin sous les fesses afin qu'elles soient surélevées; dis lui de mettre la plante de ses pieds l'une contre l'autre ; à ce moment-là tu peux te placer entre ses cuisses. Il y a d'autres positions qui sont en usage en Inde[7].

Tu dois savoir que les Hindous ont multiplié énormément le nombre de façons de faire l'amour et ont atteint dans ce domaine un niveau d'étude bien plus élevé que les Arabes. Parmi les autres positions et variantes, signalons les suivantes:

La fermeture: Tu couches la femme sur le dos et tu lui soulèves les fesses grâce à un coussin; puis tu te glisses entre ses jambes en tenant les orteils dirigés vers le

6. Le protecteur du cheikh Nefzawi, Vizir Mohammed ben Ouana ez Zouaoui, avait un intérêt particulier pour tout ce qui touchait à la médecine; ces fragments d'apparente érudition ont la saveur d'un style journalistique.

7. L'énergie qui émanait du Prophète a fait que les armées arabes ont changé l'aspect du monde. Moins d'un siècle après la mort de Mahomet, en 632 après Jésus-Christ, eut lieu la première conquête indienne du Sind. A l'époque où fut écrit *Le Jardin Parfumé* la domination islamique était totale et les échanges culturels et scientifiques entre pays arabes était à l'ordre du jour.

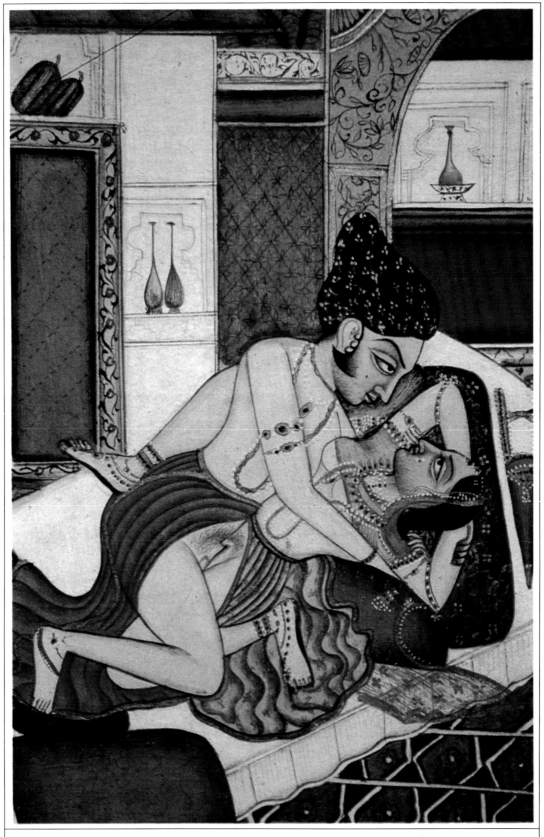

"Une constitution robuste est indispensable pour l'union et celui qui en est pourvu peut s'y consacrer sans danger".

sol et tu pousses ses cuisses contre sa poitrine. Puis tu l'étreins en lui mettant les mains sous les bras et en la prenant fortement par les épaules. Ceci fait, tu introduis ton sexe et tu l'attires vers toi au moment de l'éjaculation. Cette position est douloureuse pour la femme, car les cuisses étant pressées sur la poitrine et les fesses soulevées sur le coussin, les parois du vagin sont contractées et l'utérus est poussé en avant et ainsi il n'y a plus assez d'espace pour le pénis qui ne peut s'insérer qu'avec difficulté en appuyant sur les viscères. Cette position ne peut se faire que lorsque le pénis est court et souple.

La position de la grenouille: Couche la femme sur le dos et lève ses cuisses de telle manière que les talons touchent les fesses. Tu t'assois face à la vulve et tu introduis ton sexe; puis tu places les genoux de la femme sous tes aisselles et en la tenant fort dans la partie supérieure des bras, tu la tires vers toi au moment propice.

La poignée de main ou de pied: Étends la femme sur le dos, puis, assis sur les talons entre ses cuisses, garde la pointe des pieds en contact avec le sol; puis elle te ceindra le corps avec ses jambes et tu lui serreras les bras autour du cou.

La position jambes en l'air: Alors que la femme est couchée sur le dos, tu prends ses jambes et tout en les tenant jointes, tu les soulèves jusqu'à ce que les plantes des pieds soient parallèles au plafond; puis, la serrant entre tes cuisses, tu introduis ton pénis en faisant attention à ce que les jambes restent en l'air.

La position de la chèvre: La femme est couchée sur le côté et allonge vers l'extérieur la jambe qui se trouve en-dessous. Accroupi entre ses cuisses, tu

"Sachez qu'un homme sage n'abusera pas du plaisir de l'union".

8. L'Islam avait absorbé toutes les connaissances scientifiques du monde classique; un titre de ce genre pour une position sexuelle a tout l'air d'être une invention due à l'humour de Burton.

9. Cette position, ainsi que la suivante, sont impraticables par tous ceux qui ne sont pas d'experts acrobates et qui ne fréquentent pas assidûment des cours de gymnastique; il ne faut pas bien sûr les prendre au sérieux.

soulèves la jambe qui est au-dessus et tu introduis le pénis. Prends-la par les bras ou les épaules tout en la serrant.

La vigne d'Archimède[8]: Alors que l'homme est couché sur le dos, la femme s'assoit sur son pénis, tout en regardant le visage de l'homme. Puis elle pose ses mains sur le lit et tout en tenant son ventre à une certaine distance de celui de son compagnon, elle lève et baisse son bassin et si l'homme est léger, il peut l'accompagner dans ce mouvement. Si la femme désire embrasser l'homme, il suffit qu'elle pose ses bras sur le lit.

Le lancement du javelot[9]: Suspends au plafond la femme avec le visage dirigé vers le haut, au moyen de quatre cordes attachées aux mains et aux pieds, une autre soutenant la partie centrale du corps. La position dans laquelle elle doit se trouver est telle que la vulve se trouve face au pénis quand tu es debout. Introduis ton sexe et commence à la balancer en avant et en arrière, d'abord en l'éloignant et puis en la rapprochant; de cette façon, tu introduis et tu enlèves alternativement ton pénis et tu continues ainsi jusqu'à l'orgasme.

La position suspendue: la femme est couchée avec le visage tourné vers le bas et l'homme la lie avec des cordes aux mains et aux pieds et la soulève avec une poulie attachée au plafond. Puis il s'étend sous elle en tenant l'extrémité de la corde et la fait descendre de façon à pouvoir la pénétrer. Il la soulève et la baisse jusqu'à ce qu'il arrive à l'orgasme.

La pirouette: La femme baisse ses pantalons jusqu'aux chevilles. Puis elle se penche jusqu'à ce que sa tête rentre dans les pantalons et l'homme la prenant par les jambes la renverse sur le dos. Puis il s'agenouille et la pénètre. On dit que

Le cheikh Nefzawi a défini cette position ''séduisante''.

''Évite de rester avec la femme après l'éjaculation...cela fait blanchir les cheveux''.

certaines femmes étant couchées sur le dos peuvent mettre leurs pieds derrière leur tête sans s'aider des mains et des pantalons.

La queue de l'autruche: Étends la femme à terre et agenouille-toi à ses pieds; soulève lui les jambes et mets les autour de ton cou de façon que seules sa tête et ses épaules touchent terre; et puis pénètre-la.

S'enfiler une chaussette: Alors que la femme est couchée sur le dos, tu t'assieds entre ses jambes et tu mets ton pénis entre les lèvres de la vulve que tu tiens bien étroitement entre le pouce et l'index. Puis tu bouges de telle manière que la partie du pénis qui est en contact avec la femme subisse des frottements et tu continues jusqu'au moment où la vulve sera baignée par le liquide séminal. Après lui avoir donné un avant-goût de plaisir, tu la pénètres complètement.

La vue réciproque des fesses: L'homme est étendu sur le dos et la femme lui tournant le dos est assise sur son sexe. Il serre avec les jambes le corps de sa compagne qui se plie en avant et touche le sol avec ses mains. Ainsi appuyée, elle peut voir les fesses de son compagnon et lui peut admirer les siennes, elle peut alors faire les mouvements les plus opportuns.

Tirer à l'arc: La femme et l'homme sont tous les deux étendus sur le côté. Il se met entre les jambes de sa compagne de façon que son visage soit tourné vers son dos; puis la prenant par les épaules il la pénètre; la femme à ce moment-là attrape les pieds de l'homme et les tire vers elle; ainsi le corps de l'homme prend la forme d'un arc dont elle est la flèche.

Mouvement interchangeable: Assis par terre, l'homme joint la plante des pieds et baisse les cuisses. La femme s'assoit sur ses pieds et étreint le corps de son compagnon avec les jambes et son cou avec les bras. A ce moment-là l'homme attrape les jambes de la femme et tout en rapprochant ses pieds de son corps, il emmène la femme près de son pénis qu'il introduit. Avec un mouvement des pieds il la pousse d'avant en arrière. La femme devrait faire attention et faciliter ce mouvement en essayant de ne pas trop peser sur les pieds. Si l'homme craint que son pénis sorte il doit maintenir la femme immobile en l'étreignant autour des hanches et en se contentant du mouvement que lui permettent ses pieds.

Le martèlement: L'homme est assis, les jambes écartées, la femme s'assoit sur ses cuisses et croise ses jambes derrière son dos. Elle se met de telle manière que la vulve touche le pénis et le guide avec les mains. Puis elle met les mains autour du cou de son compagnon alors que lui met les siens autour de la taille de là femme la soulevant et l'abaissant sur son pénis; elle doit l'aider à faire ce mouvement.

Union par derrière: La femme est penchée en avant et ses fesses sont soulevées par un coussin; l'homme se couche sur son dos et introduit le pénis alors qu'ils mêlent leurs bras.

Ventre contre ventre: L'homme et la femme sont debout face à face; la femme a les pieds légèrement écartés et ceux de l'homme sont au milieu. Ils mettent tous les deux un pied en avant. L'homme doit avancer davantage l'un des pieds et chacun doit étreindre les reins de l'autre. L'homme accomplit alors la pénétration et se meut comme il sera expliqué plus loin (Voir premier mouvement).

La position de la brebis: La femme est à genoux avec les avant-bras appuyés par terre; l'homme s'agenouille derrière elle et introduit le pénis dans la vulve qu'elle essaie de pousser le plus possible vers l'extérieur. Les mains de l'homme devrait être sur les épaules de la femme.

La bosse du chameau: La femme qui est debout se penche en avant jusqu'à ce qu'elle touche le sol avec la pointe des doigts, l'homme se met derrière elle et fait l'amour avec elle en la tenant étroitement par les cuisses. Si l'homme se retire alors que la femme est encore pliée en avant, le vagin émet un son comme le mugissement d'un veau et c'est pour cette raison que les femmes n'aiment pas cette position.

Pousser sur le pieu: Étant face à face, la femme se pend avec les bras au cou de l'homme, lève les jambes et les enroule autour de la taille de son compagnon et pousse les pieds contre le mur. A ce moment-là l'homme introduit le pénis et la femme se trouve comme suspendue à un pieu[10].

10. Toutes les positions debout pendant lesquelles l'homme soutient le poids de la femme doivent être exécutées avec une grande attention. Si pour une raison ou une autre la femme tombait sur le pénis dressé, celui-ci pourrait être endommagé pour toujours.

"*Celui qui fait l'amour pour faire plaisir à son amante... met de côté son bien-être afin de procurer du plaisir à une autre personne*".

"Louanges à Dieu qui a créé la femme...".

La fusion de l'amour: La femme est étendue sur le côté droit et l'homme sur le gauche; l'homme tend la jambe qui se trouve en dessous, lève l'autre et l'appuie sur la hanche de la femme. Puis il tire vers lui la jambe de la femme qui se trouve dessus et introduit le pénis; si la femme le désire, elle peut collaborer en faisant les mouvements nécessaires.

Union violente: L'homme bondit sur la femme par derrière en la prenant par surprise. Il lui met les mains sous les aisselles et appuie sur la nuque pour lui faire baisser la tête. Si elle ne porte pas de pantalon il essayera de relever sa robe avec les genoux et essayera d'immobiliser ses jambes en les serrant de façon qu'elle ne puisse se retourner et l'empêcher d'introduire le pénis. Mais si elle est robuste ou si elle porte des pantalons, il sera obligé de lui tenir les deux mains avec l'une des siennes et baisser son vêtement avec l'autre.

Inversion: L'homme est étendu sur le dos et la femme est couchée sur lui dans la position inverse. Elle serre les cuisses de l'homme en les tirant vers elle ce qui fait se dresser le pénis. Après l'avoir guidé pour la pénétration, elle pose ses mains sur le lit, à côté des fesses de l'homme. Il est nécessaire qu'elle ait les pieds surélevés par un coussin pour s'adapter à l'inclinaison du pénis. La femme doit bouger.

La chevauchée sur le pénis: L'homme est couché sur le dos avec un coussin sous les épaules; les fesses doivent rester en contact avec le sol. Ainsi installé, il lève les jambes jusqu'à ce que les genoux soient proches du visage. A ce moment-là, la femme s'assoit sur son pénis. Elle ne s'étend pas mais monte à califourchon, comme sur une selle formée par le buste et les jambes de l'homme. En pliant ses genoux elle peut alors se mouvoir de haut en bas, ou bien elle peut poser ses genoux sur le sol et dans ce cas-là c'est l'homme qui la fait se mouvoir à l'aide de ses cuisses alors qu'elle le tient par les épaules.

Le rabot: L'homme et la femme sont assis face à face. La femme pose sa cuisse droite sur la cuisse gauche de l'homme, alors que lui pose sa cuisse droite sur la cuisse gauche de la femme. La femme enfile le pénis dans le vagin; ils se serrent les mains. Puis ils s'abandonnent à un mouvement de balancement rythmique se pliant alternativement d'avant en arrière.

Le rester chez soi: La femme est couchée sur le dos et l'homme a les mains posées sur des coussins et est allongé sur la femme. Quand le pénis est introduit, la femme soulève le bassin le plus possible par rapport au plan du lit et l'homme l'accompagne dans ce mouvement en faisant attention de ne pas faire sortir son sexe. Puis la femme abaisse les fesses par à-coups brefs et brusques alors que l'homme reste contre elle, bien que les deux partenaires ne soient pas enlacés. Il doivent continuer ce mouvement mais, pour ne pas se faire mal, l'homme doit être léger et le lit souple.

La position du forgeron: La femme est allongée sur le dos avec un coussin sous les fesses. Elle replie ses genoux sur la poitrine de façon que la vulve soit proéminente comme un tamis et y introduit le pénis. L'homme accomplit pendant un moment les mouvements traditionnels puis enlève le sexe et le glisse entre les cuisses de la femme imitant ainsi le forgeron qui retire du feu le fer ardent et l'immerge dans l'eau froide.

La position de la séduction: La femme est couchée sur le dos et l'homme est accroupi entre ses jambes; il met les jambes de la femme ou sous ses bras ou sur ses épaules. Il peut tenir la femme par la taille ou par les bras.

Les descriptions précédentes offrent un grand nombre de positions, qui, en général, peuvent être adoptées; leur abondance et variété permettra à ceux qui trouvent des difficultés pour accomplir l'une ou l'autre de ces positions de trouver celle qui leur procurera le plus de plaisir.

J'ai pensé qu'il était inutile de parler des positions qui me semblent impossibles à mettre en pratique et si quelqu'un pense que l'énumération est trop pauvre, il peut toujours s'ingénier à en trouver de nouvelles.

Il est incontestable que les Hindous ont maîtrisé d'énormes difficultés pour réussir ces positions comme en témoigne celle-ci:

La femme est couchée sur le dos et l'homme est à califourchon sur son buste, le visage tourné vers les pieds de sa compagne. Il se plie en avant et lui soulève les cuisses jusqu'à ce que la vulve se trouve face à son pénis qu'il introduit.

A la difficulté de cette position s'ajoute la fatigue physique pour l'exécuter. Je pense qu'elle n'est réalisable que dans nos pensées ou en dessin.

On raconte, aussi, que certaines femmes, pendant l'acte sexuel, peuvent lever une jambe et tenir en équilibre une lampe à huile sans faire tomber une seule goutte et sans éteindre la lampe. Le plaisir de l'union n'est pas altéré par cette prouesse qui demande une grande habileté.

Cependant les moments les plus appréciés dans le rapport sexuel sont les enlacements, les baisers et la succion réciproque des lèvres. Cela souligne la différence entre l'homme et l'animal. Personne ne reste insensible aux plaisirs procurés par l'autre sexe et le plaisir suprême de l'homme reste l'acte d'amour.

Quand l'amour humain atteint le niveau le plus élevé, tous les plaisirs de l'union charnelle deviennent faciles et naturels pour l'homme et il en jouit grâce aux baisers et aux enlacements. Là se trouve la vraie source du bonheur pour les deux amants.

Un connaisseur en matière d'amour devrait essayer toutes les positions afin de savoir celle qui donne une plus grande jouissance à la femme. Il est universellement reconnu que la quinzième position (le martèlement) offre la satisfaction la plus grande.

Voilà l'histoire d'un homme qui avait une maîtresse d'une beauté, d'une grâce et d'une perfection incomparables. Il faisait l'amour avec elle selon la tradition et ne variait jamais. La femme n'éprouvait aucun des plaisirs qui devraient accompagner le rapport sexuel et finit par être toujours de mauvaise humeur. L'homme parla de son problème à une femme sage qui lui répondit: "Essaye de faire l'amour de manière différente avec ton amante et vois quelle est la manière qui la satisfait le plus. Quand tu l'auras trouvée ne change plus et elle t'aimera intensément".

Ainsi l'homme essaya diverses positions et quand il trouva la bonne, "le martèlement", il vit que la jouissance de sa femme était intense et il sentit qu'elle serrait son sexe avec véhémence. La femme s'exclama en le mordillant sur les lèvres: "Enfin, c'est comme ça que l'amour se fait!".

Ces effusions démontrèrent à l'amoureux que son amante avait reçu le plaisir maximum avec cette position et il n'en changea plus.

Essayez donc diverses positions, car chacun préfère celle qui lui procure la jouissance maximum; mais la majorité des personnes a une nette prédilection pour la précédente car, dans l'action, le ventre est pressé contre le ventre, la bouche contre la bouche et il est rare que la "contraction" ne se mette pas en marche.

Il me reste encore à parler des différents mouvements utilisés dans le rapport sexuel.

Premier mouvement: *Le seau dans le puits.* L'homme et la femme s'enlacent étroitement après la pénétration, puis l'homme pousse une fois et puis se retire en arrière légèrement; la femme se meut à son tour et se retire et ainsi de suite alternativement. Il faut faire attention et mettre les mains et les pieds les uns contre les autres et imiter le mieux possible le seau dans un puits.

Second mouvement: *L'échange du coup.* Tous les deux se retirent après l'introduction du pénis en faisant attention que celui-ci ne sorte pas entièrement; ils s'unissent de nouveau et s'enlacent étroitement. Puis ils continuent ainsi.

Troisième mouvement: *Un à la fois.* L'homme agit comme toujours et s'arrête; la femme, tout en gardant le pénis à l'intérieur, bouge une fois, puis c'est l'homme qui recommence et ils continuent ainsi jusqu'à l'orgasme.

"Dieu a dit: 'La femme est ton champ de bataille, va au champ quand tu en as envie'".

"Quand tu vois les lèvres d'une femme trembler et rougir,
sache qu'elle désire faire l'amour".

Quatrième mouvement: *Le tailleur de l'amour*. L'homme pénètre partiellement et fait un mouvement de frottage, puis d'un seul coup entre complètement. Ceci ressemble au travail du tailleur qui, après avoir enfilé l'aiguille dans le tissu, la fait ressortir tout d'un coup. Ce mouvement est adapté seulement à ceux qui savent contrôler leur éjaculation.

Cinquième mouvement: *Le cure-dent*. L'homme introduit le pénis et explore le vagin de toutes parts. Pour ce mouvement il faut avoir un instrument vigoureux.

Sixième mouvement: *Le lien d'amour*. L'homme pénètre complètement de façon que son corps adhère entièrement à celui de la femme. Puis il doit pousser avec énergie, en faisant très attention que même une minime partie du pénis ne sorte de la vulve.

Ce mouvement est le plus beau de tous, et il est particulièrement adapté à la quinzième position. Les femmes le préfèrent de loin à tous les autres car il leur donne le maximum du plaisir et permet au vagin de serrer le pénis. Les lesbiennes ne pratiquent que ce mouvement-là et on peut le recommander à ceux qui souffrent d'éjaculation précoce.

Toute position qui ne permet pas de s'embrasser n'est pas satisfaisante; le plaisir sera incomplet car le baiser est l'un des stimulants les plus puissants auxquels un homme et une femme peuvent s'abandonner. Ceci est particulièrement vrai pour la femme, surtout si elle est à l'écart de regards indiscrets.

Certains soutiennent que le baiser fait partie intégrante de l'acte sexuel.

Le baiser le plus délicieux est celui posé sur les lèvres humides et passionnées, accompagné par la succion des lèvres et de la langue, de façon à produire une salive légèrement enivrante. Ceci donne à l'homme une sensation de frémissement sur tout le corps et c'est plus enivrant qu'un vin fort.

Le baiser doit être sonore. Son bruit, léger et prolongé, naît entre la langue et la voûte humide du palais. Il est le résultat du mouvement de la langue dans la bouche et du déplacement de la salive provoquée par la succion.

Un baiser donné sur la partie externe de la lèvre et accompagné par un bruit qui ressemble à celui que l'on fait pour appeler un chat, ne donne aucun plaisir. Ce baiser est adapté seulement pour les enfants et pour les mains. Le baiser que j'ai décrit plus haut et qui fait partie des rites de l'union sexuelle provoque une volupté très agréable. C'est toi qui dois apprendre les différences.

Sache que tout baiser et que toute caresse sont inutiles s'ils ne sont pas accompagnés de la pénétration. Tu dois donc t'abstenir de les pratiquer si tu ne peux accomplir l'acte sexuel, sinon tu allumeras un feu que seule une séparation stérile pourra éteindre. La passion qui enflamme est pareille au feu et, tout comme celui-ci ne peut être éteint que par de l'eau, ainsi les flammes de l'amour ne peuvent se calmer qu'avec l'émission du sperme. La femme, elle non plus, n'est pas satisfaite des baisers qui ne sont pas suivis par l'union.

On raconte que Dahama ben Mesejel se rendit auprès du gouverneur de la province du Yahama pour se plaindre de son mari, El Ajaje, qui était impuissant, ne remplissait pas son rôle de mari avec elle et ne s'approchait jamais d'elle. Son père l'accompagna pour soutenir son cas mais il fut blâmé par tout le peuple de Yahama et on lui demanda s'il n'avait pas honte de prétendre une union charnelle pour sa fille.

"Je désire qu'elle ait des enfants" répliqua-t-il "si elle devait les perdre, Dieu prendra soin d'elle; si au contraire ils doivent vivre alors ils l'aideront". Dahama exposa la situation à l'Émir en ces termes:

"Voilà mon mari. Jusqu'à maintenant il m'a laissée intacte".

"Peut-être est-ce toi qui es mal disposée ou qui refuses" objecta l'Émir.

"Au contraire, je m'étends volontiers et j'écarte les jambes".

"Ô Émir, elle ment! Pour la posséder je dois entreprendre une dure lutte" s'exclama le mari.

"Je te donne un an pour prouver la fausseté de cette accusation" répliqua l'Émir, qui le fit naturellement par sympathie pour l'homme.

Alors El Ajaje se retira.

A peine fut-il de retour chez lui, il prit sa femme dans les bras et commença à la caresser et à l'embrasser sur la bouche; mais c'était là le maximum de ses possibilités car il ne pouvait donner aucune preuve de sa virilité. Dahama lui dit: "Arrête avec tes caresses et tes enlacements; cela ne suffit pas pour être appelé amour. Ce dont j'ai besoin c'est d'un pénis dur et vigoureux qui puisse m'inonder de sa semence".

Désespéré, Ajaje la ramena à ses parents et la répudia la nuit-même.

Sache que pour satisfaire une femme, les baisers sans l'union sexuelle ne suffisent pas. Son seul plaisir est le pénis et elle n'aimera qu'un homme qui sait l'utiliser, même si c'est un homme laid et difforme.

On raconte que Moussa ben Mesab se rendit un jour chez une femme qui avait une esclave, une belle chanteuse, pour l'acheter. Cette femme était vraiment d'une très grande beauté et avait beaucoup de qualités. En entrant dans la maison il remarqua un homme encore jeune, mais mal fait qui donnait des ordres. Il demanda à la femme qui était cet homme et elle lui répondit:

"C'est mon mari et je donnerais volontiers ma vie pour lui".

"Tu es réduite en esclavage et tu me fais pitié; mais nous appartenons à Dieu et à lui nous retournerons! Cependant quelle malchance qu'une beauté incomparable comme la tienne et un visage aussi merveilleux appartiennent à cet homme!".

"Ô mon fils, s'il te faisait par derrière ce qu'il me fait par devant, tu vendrais tous tes biens et ton patrimoine jusqu'au dernier morceau. Il te semblerait beau et sa laideur se transformerait en perfection".

"Que Dieu te le garde!" s'exclama Moussa.

Au sujet des divers noms donnés au pénis

Sache, ô Vizir (Que Dieu te concède sa miséricorde!) que l'on a donné une multitude de noms au pénis[11] dont ceux qui suivent:

Membre viril - Organe de procréation - Soufflet du forgeron - Pigeon - Grelot - Indomptable - Libérateur - Reptile - Stimulant - Trompeur - Dormeur - Celui qui se fraie un chemin - Tailleur - Extincteur - Celui qui se démène - Celui qui frappe à la porte - Nageur - Celui qui entre - Celui qui se retire - Monocle - Tête chauve - Borgne - Trébucheur - Tête étrange - Celui qui a un cou - Velu - Sans-gêne - Timide - Grognon - Agité - Collant - Cracheur - Pataugeur - Casseur - Chercheur - Frotteur - Mou - Observateur - Découvreur.

Les deux premiers noms ne présentent aucune difficulté.

Le soufflet du forgeron: Il a été ainsi nommé à cause de l'alternance de son état de tension et de relâchement.

Le pigeon: Après s'être gonflé, au moment où il retourne à l'état de repos, il ressemble à un pigeon qui couve ses oeufs.

Le grelot: Ce nom s'explique par le bruit que le pénis fait chaque fois qu'il rentre ou qu'il sort de la vulve.

L'indomptable: On lui a donné ce nom car lorsqu'il est gonflé et dressé il commence à bouger la tête et cherche le vagin de la femme, puis lorsqu'il le trouve il y pénètre brusquement et insolemment.

Le libérateur: Le pénis, lorsqu'il pénètre une femme divorcée, la libère de l'interdiction d'épouser une nouvelle fois son mari précédent.

Le reptile: Ce nom évoque le pénis lorsqu'il s'insinue entre les cuisses d'une femme et voit la vulve charnue, commence à ramper sur ses jambes et sur son pubis s'approchant de l'entrée et continuant jusqu'au moment où il en prend

11. Tant l'auteur que le traducteur se sont amusés à faire cette énumération dans ce chapitre et dans le suivant. Il est difficile d'imaginer Vatsyayana ou Kalyana Malla (respectivement Sherlock Holmes et le Docteur Watson) traitant ainsi un tel argument.

"Celui qui veut être compétent dans l'art de l'union ne doit ignorer aucune de mes recommandations car le bonheur de la femme dépend de leur application".

possession. Lorsqu'il s'est installé confortablement il complète la pénétration et l'orgasme suit.

Le stimulant: Il a reçu ce nom car il stimule la vulve ou l'irrite à cause de ses entrées et sorties répétées.

Le trompeur: Ce nom est le fruit de ses pièges et de ses stratagèmes. Quand il désire le rapport il dit: "Si Dieu me concède de rencontrer une vulve je ne la quitterai plus!" mais quand il en rencontre une, il est tout de suite satisfait et sa fanfaronnade devient évidente; il jette alors un regard désespéré à la vulve en repensant à ses vantardises de fidélité. Quand il s'approche d'une femme, il semble qu'il dise à la vulve: "Aujourd'hui, je satisferai avec toi mes désirs!". La vulve le voyant dressé et rigide, surprise par ses dimensions, semble répliquer: "Qui pourra jamais loger un tel membre?". Sa seule réponse est de passer la tête à la porte de la vulve et de pousser pour ouvrir les lèvres et se jeter à l'intérieur. Quand il commence à bouger la vulve se moque de lui et dit: "Quel mouvement trompeur!" car à peine entré, il ressort immédiatement. Les deux testicules semblent dire: "Notre ami est mort; il a dû succomber au plaisir, à la satisfaction de sa passion et à l'émission de sa semence!". Puis il se retire précipitamment de la vulve et essaye de soulever à nouveau la tête mais il retombe, mou et inerte. Les testicules répètent: "Notre frère est mort... notre frère est mort!" Il proteste mais ils rétorquent: "Pourquoi te retires-tu? Menteur, tu avais dit qu'une fois à l'intérieur tu ne sortirais plus".

Le dormeur: Ce nom est dû à son aspect trompeur. Pendant l'érection il s'allonge et devient à un tel point rigide qu'il semble impossible qu'il puisse de nouveau redevenir mou, mais lorsqu'il quitte la vulve après avoir soulagé sa passion, il s'endort.

Celui qui se fraie un chemin: Ce nom souligne sa fougue lorsqu'il se trouve face à une vulve qui ne veut pas le laisser entrer immédiatement; il se fraie un chemin avec la tête en brisant et en lacérant tout comme une bête en chaleur.

Le tailleur: Ce nom symbolise une entrée dans la vulve en deux temps: il ne rentre qu'après avoir fait pression pour passer comme l'aiguille dans la main du tailleur.

L'extincteur: On donne ce nom à un pénis gros et robuste qui est lent à atteindre l'éjaculation. Un tel sexe satisfait les désirs amoureux de la femme, car après l'avoir excitée au plus haut degré, il la comble mieux que quiconque. Lorsqu'il veut pénétrer dans une vulve dont il trouve l'entrée fermée, il gémit, il implore et fait des promesses accompagnées de serments: "Chère amie, laisse moi entrer... Je ne resterai pas longtemps" mais lorsqu'il obtient ce qu'il désire, il ne respecte pas sa parole; il prolonge sa permanence et ne se retire pas tant qu'il n'a pas émis sa semence et épuisé son ardeur, à force de s'agiter dans tous les sens. La vulve demande: "Où est finie ta promesse, menteur? N'avais-tu pas dit que tu ne resterais qu'un instant?", mais il répond "Je ne me retirerai pas tant que je n'aurai pas rencontré ton utérus, c'est cela que j'ai promis". A ce moment-là la vulve est prise de pitié et réveille la contraction qui le saisit et le satisfait entièrement.

Celui qui se démène: Ce nom lui a été donné car il arrive à la vulve comme pour régler une affaire urgente. Il frappe à la porte, se tord et se démène sans pudeur, en poussant dans tous les sens et en pénétrant à l'improviste jusqu'au fond du vagin pour éjaculer.

Celui qui frappe à la porte: Il frappe avec un léger coup lorsqu'il arrive à la porte de la vulve; si celle-ci répond et ouvre la porte, il entre; s'il n'obtient pas de réponse il frappe jusqu'à ce qu'elle lui ouvre. Pour nous "frapper à la porte" signifie frotter le pénis sur la vulve jusqu'à ce qu'elle soit mouillée. La production de ce liquide est appelée l'ouverture de la porte.

Le nageur: C'est celui qui lorsqu'il pénètre dans le vagin ne reste pas en place mais tourne dans tous les sens; il pousse surtout au centre et nage au milieu de la

"Ne laissez pas passer en vain le moment propice".

semence qu'il a engendrée et du liquide émis par la femme comme si, craignant de se noyer, il luttait pour se sauver la vie.

Celui qui entre: Celui-ci lorsqu'il arrive à la porte de la vulve doit répondre à cette question: "Que désires-tu?" et il répond: "Je veux entrer". La vulve rétorque: "C'est impossible... je ne peux te recevoir à cause de ta taille". Alors le pénis demande la permission d'introduire la tête en promettant de ne pas pénétrer entièrement; il s'approche de la vulve, frotte la tête deux ou trois fois entre les lèvres pour provoquer la sécrétion; puis quand la vulve est bien lubrifiée, avec une soudaine immersion, il s'y enfonce complètement.

Celui qui se retire: Ce nom a été donné à celui qui s'approche d'une vulve privée pendant une longue période de rapport sexuel et désireuse d'être pénétrée; la vulve (guidée par la véhémence de son désir amoureux) dit: "Oui, tu peux entrer mais à une seule condition... tu ne te retireras pas avant de nombreux orgasmes!". Le pénis répond: "Je promets que je ne me retirerai pas tant que tu n'auras pas joui trois fois plus que ce que tu ne désires". Une fois entré, l'intensité de la chaleur de la vulve stimule la jouissance; il se meut de haut en bas et recherche le plaisir que procure ce mouvement avec le frottement alternatif contre la vulve et l'utérus. Quand l'orgasme a eu lieu, le pénis essaye de sortir et la vulve dit: "Menteur, pourquoi te retires-tu? Tu aurais dû t'appeler le 'menteur qui se retire'".

"La femme est comme un fruit qui émane son parfum seulement quand il est frotté avec les mains".

"Essayez de faire en sorte que les orgasmes soient simultanés, car cela est le secret de l'amour".

Le monocle: L'efficacité de ce nom suffit en soi.

La tête chauve: Comme dans le cas précédent.

Le borgne: Il a ce nom car son oeil unique présente la particularité suivante: il n'a ni pupille ni cils.

Le trébucheur: Le pénis désire entrer dans la vulve; il ne voit pas la porte; il frappe vers le haut, vers le bas et continue ainsi comme s'il trébuchait sur une pierre sur la route, jusqu'à ce que les lèvres de la vulve soient lubrifiées et qu'il puisse entrer. La vulve demande alors: "Qu'est-ce-qui t'a fait trébucher ainsi?"; "Ma chère", répond-il "il y avait un caillou sur le chemin".

La tête étrange: Sa tête est différente de toutes les autres.

Celui qui a un cou: C'est le pénis court, trapu et plus gros vers l'arrière; la tête est dépouillée et les poils du pubis sont hirsutes.

Le velu: Aucune explication n'est nécessaire

Le sans-gêne: A partir du moment où il atteint l'érection il ne s'occupe plus de personne. Sans rougir et sans se soucier de la gêne de son maître, il se montre sous les vêtements. Il se comporte de la même façon avec la femme. Il veut lui soulever la robe et voir ses cuisses. Son maître aura sûrement honte de sa conduite, mais la rigidité et l'ardeur du sexe ne cessent de croître.

Le timide: Ce pénis a honte et devient timide devant une vulve inconnue et ne réussit à lever la tête qu'après un long moment. Certaines fois, sa gêne est telle qu'il devient totalement impuissant, surtout devant une étrangère.

Le grognon: Celui-ci verse de nombreuses larmes. A peine atteint-t-il l'érection qu'il commence à pleurer; s'il voit un visage agréable, il pleure; s'il touche une femme, il pleure. Parfois il pleure même en se rappelant...

L'agité: A peine entre-t-il dans la vulve qu'il se démène et n'a de cesse jusqu'à ce que son ardeur ne s'apaise.

Le collant: Quand il pénètre dans la vulve, il se démène en liant les poils entre eux et pousse à un tel point que l'on pourrait croire qu'il veut introduire aussi les testicules.

Le cracheur: Quand le pénis s'approche de la vulve ou quand il l'aperçoit, ou simplement quand il y pense, ou bien encore quand son maître touche une femme, plaisante avec elle ou l'embrasse, sa salive commence à couler; après une longue abstinence, cette salive est très abondante et parfois il pourra aussi mouiller ses vêtements. Ce type de pénis est très commun et presque tous les hommes en sont dotés. Le liquide versé s'appelle le 'medi'. Des pensées libidineuses peuvent faire émettre ce liquide. Il est parfois tellement abondant qu'il remplit la vulve et beaucoup croient que c'est la femme qui le produit.

Le pataugeur: Il produit un son sourd (plouf!) quand il pénètre la vulve.

Le casseur: C'est un membre vigoureux qui devient long et rigide comme une baguette ou un os. Il fait facilement irruption dans l'hymen en le lacérant.

Le chercheur: Ce pénis, lorsqu'il se trouve dans le vagin, commence à bouger dans tous les sens comme s'il recherchait quelque chose. En fait, il cherche l'utérus et ne se calme que lorsqu'il l'a trouvé.

Le frotteur: Ce pénis ne rentre pas dans le vagin tant qu'il n'a pas frotté la vulve à plusieurs reprises. On le confond souvent avec le suivant.

Le mou: Celui-ci ne peut jamais pénétrer car il est trop mou; il doit donc se contenter de se frotter contre la vulve jusqu'à l'éjaculation. Il ne procure aucun plaisir à la femme car il enflamme ses désirs sans pouvoir les assouvir.

L'observateur: Ce pénis pénètre dans des endroits insolites, relève les conditions de la vulve et sait distinguer leurs bonnes et mauvaises qualités.

Le découvreur: Quand il atteint l'érection, ce pénis soulève les habits qui le cachent et trahit son maître en découvrant sa nudité; il ne craint pas non plus de montrer la vulve qu'il ne connaît pas en levant sans pudeur les robes des femmes. Aucune honte ne le touche et il ne respecte personne. Rien de ce qui concerne le coït ne lui est étranger. Il connait à fond l'humidité, la fraîcheur, la sécheresse, l'étroitesse ou la chaleur de la vulve, dont l'intérieur lui est parfaitement connu. Certaines vulves sont parfaites vues de l'extérieur mais vues de l'intérieur, elles laissent à désirer ne procurant aucun plaisir ou par une humidité excessive ou par un manque de chaleur. Comme il désire découvrir tout ce qui peut augmenter le plaisir de l'union, on lui a donné ce nom.

Ces noms sont les principaux parmi ceux qui ont été donnés au pénis. Il est juste que ceux qui jugent cette énumération trop courte, en cherchent de nouveaux, mais moi je me limite à ceux-ci, car je pense que nombre de ces noms satisferont mes lecteurs.

Au sujet des organes féminins

Les noms les plus courants sont:
Passage - Vulve - Libidineuse - Primitive - Étourneau - Lézarde - Crête - Nez renfrogné - Porc-épic - Taciturne - Pressoir - Insistante - Arrosoir - Désireuse - Beauté - Celle qui fait grossir - Sourcil arqué - Celle qui se dilate - Géante - Goulue - Puits sans fond - Les deux lèvres - Bosse de chameau - Tamis - Celle qui bouge - L'attaquante - Hospitalière - Aide - Arquée - Élastique - Duelliste - Mouillée - Barricade - Abîme - Mordante - Suçante - Guêpe - Toujours prête - Grimace - Résignée - Celle qui réchauffe - Délicieuse.

Le passage (el feuj): Elle s'ouvre et se ferme comme la vulve de la jument en chaleur.

La vulve: Tout cet organe est charnu et exceptionnel; les lèvres sont longues, l'ouverture grande, les bords bien séparés et parfaitement symétriques, le centre proéminent; elle est souple, séduisante et parfaite jusque dans les détails. Elle ne craint aucune comparaison, c'est la meilleure et la plus plaisante de toutes. Puisse Dieu, nous donner l'occasion de nous unir à cette vulve! Elle est chaude, étroite et sèche à un tel point que l'on pense qu'un incendie pourrait s'y déclarer. Sa forme est gracieuse, son odeur suave; sa blancheur fait contraste et valorise son centre carmin. En un mot, elle est parfaite.

La libidineuse: La vulve d'une vierge.

La primitive: Nom que l'on peut donner à toutes les vulves.

L'étourneau: Il s'agit de la vulve d'une femme brune.

La lézarde: Elle ressemble à la lézarde d'un mur et est décharnée.

La crête: Elle possède une crête comme celle du coq, qui se dresse au moment du plaisir.

Le nez renfrogné: Elle a des lèvres étroites et une langue minuscule.

Le porc-épic: La peau est rugueuse et les poils sont hirsutes.

La taciturne: Elle parle peu. Si le pénis la pénétrait cent fois par jour, elle ne dirait rien se contentant de regarder.

Le pressoir: Elle agit sur le pénis en le serrant. A peine est-il pénétré, elle l'étreint et l'aspire avec un tel "gusto"[12] (plaisir) que si cela était possible elle avalerait aussi les testicules.

L'insistante: C'est la vulve qui n'épargne aucun pénis. Si un homme passait cent nuits avec elle et la pénétrait cent fois par nuit, elle ne serait ni fatiguée, ni satisfaite, mais prétendrait continuer. Les rôles s'invertissent avec elle: le pénis doit se défendre et c'est elle qui attaque. Cependant elle est très rare et se trouve juste chez les femmes qui sont tout feu tout flamme.

12. En italien dans le texte.

"Sachez qu'il y a huit choses qui favorisent l'amour: la santé, l'absence de problèmes, l'absence de soucis, la sérénité, un régime abondant, la richesse et en plus, la variété des traits et de corpulence des femmes".

L'arrosoir: Lorsqu'elle urine, elle émet un son bruissant.

La désireuse: Ce privilège n'appartient qu'à peu de femmes; chez certaines c'est un don naturel, chez d'autres c'est le résultat d'une abstinence prolongée. Sa caractéristique est la recherche du pénis; lorsqu'elle l'a trouvé, elle ne le quitte plus jusqu'à ce que son désir se calme.

La beauté: Vulve blanche et charnue arrondie en forme de coupole. L'œil ne peut se détacher d'elle et aucun pénis ne peut lui résister.

Celle qui fait grossir: Cette vulve fait grossir et se dresser tout pénis qui arrive à son entrée. Elle procure à sa maîtresse un énorme plaisir et au moment de la jouissance elle cligne de l'œil en signe de complicité.

Le sourcil arqué: Elle est couronnée d'un pubis qui ressemble à un front majestueux.

Celle qui se dilate: Quand le pénis s'approche d'elle, elle semble fermée et impénétrable à un point tel qu'il semblerait impossible pouvoir y enfiler le petit doigt; mais lorsque le pénis la frotte avec la tête, elle s'élargit au-delà de toute espérance.

La géante: Elle est aussi large que grande, développée dans les deux directions, latéralement et du pubis au périnée. L'oeil ne peut en contempler de plus belle. Que Dieu, dans sa bonté ne nous prive d'une telle vision!

La goulue: Elle a une gorge immense. Si elle reste privée de coït pendant longtemps et qu'un pénis s'approche d'elle, elle le dévore tout entier comme un affamé se jette sur la nourriture en l'avalant sans la mâcher.

Le puits sans fond: Il s'agit d'un vagin qui se prolonge à l'infini. Cette vulve a besoin d'un pénis particulièrement long sinon elle ne peut être comblée.

Les deux lèvres: Apanage d'une femme très vigoureuse.

La bosse du chameau: Elle est couronnée par le mont de Vénus proéminent qui ressemble à la bosse d'un chameau qui se prolongerait entre les cuisses comme la tête d'un veau.

Que Dieu nous concède de jouir d'une telle vulve! Amen!

Le tamis: Quand cette vulve reçoit le pénis elle commence à se mouvoir de haut en bas, de droite à gauche, d'avant en arrière jusqu'à la jouissance totale ..

Celle qui bouge: Quand elle a accueilli le pénis elle bouge violemment sans interruption jusqu'à ce que le pénis touche l'utérus. Elle ne se calme que lorsque l'opération est complètement terminée.

L'attaquante: Le vagin de cette vulve, à peine le pénis est entré, l'aspire vers l'intérieur en le serrant avec une grande force; une telle puissance fait penser que s'il le pouvait, il ferait entrer aussi les testicules.

L'hospitalière: C'est le vagin d'une femme qui, depuis longtemps, désire ardemment avoir une union sexuelle. Sa joie de voir un pénis le fait collaborer aux divers mouvements; cette vulve offre généreusement son utérus, aucun don ne pourrait être plus apprécié. Si le pénis désire explorer une zone particulière, le vagin s'y prête gentiment et l'aide afin qu'aucune partie soit négligée. Au moment de jouir, lorsque le pénis désire éjaculer, il étreint sa tête et lui présente l'utérus. Puis il suce vigoureusement le pénis, exploitant toutes ses ressources d'énergie pour extraire la semence qui affluera dans l'utérus en attente. Il est certain qu'une femme qui possède un vagin de ce type ne sera comblée que si le sperme se déverse dans l'utérus.

L'aide: Cette vulve aide le pénis à entrer, à se retirer, à se mouvoir vers le haut ou le bas. Cette aide facilite l'orgasme et la jouissance est totale. Même ceux qui sont lents à éjaculer sont conquis par cette vulve.

L'arquée: C'est une vulve aux grandes dimensions

L'élastique: Ce qualificatif s'adapte à peu de vulves. En effet, celle-ci s'étend du pubis à l'anus, s'allonge quand la femme est couchée ou debout et se raccourcit quand elle est assise, se différenciant ainsi de celle qui est ronde. Elle ressemble à un magnifique concombre qui s'allonge entre les cuisses. On peut même parfois la deviner sous des vêtements légers quand la femme se penche en arrière.

La duelliste: Une fois que le pénis l'a pénétrée, cette vulve bouge par crainte qu'il ne s'échappe avant l'accomplissement de l'orgasme. Elle ne jouit pas tant que la contraction ne se met en mouvement en serrant étroitement le pénis. Certaines vulves poussées par un violent désir de coït, naturel ou provoqué par une longue abstinence, vont de l'avant, la bouche grande ouverte pour rencontrer le pénis comme un nourrisson affamé cherche le sein de sa mère. C'est ainsi que se meut la vulve pour s'approcher du pénis et ceci ressemble à un duel: alors que le premier adversaire se précipite sur le deuxième, celui-ci feinte pour annuler l'attaque. Le pénis est l'épée et la vulve le bouclier. Le premier qui atteint l'orgasme est le vaincu et c'est réellement un combat définitif! Je voudrais combattre ainsi jusqu'à ma mort!

La mouillée: Comme son nom l'indique, c'est une sécrétion excessive qui entrave la jouissance.

Les positions debout requièrent une analogie physique entre les partenaires; le cheikh Nefzawi ne les appréciait pas et recommandait la position qu'il nommait "le martèlement".

"Prépare-la pour la jouissance et tente tout ce qu'il est possible de faire pour atteindre ce but".

La barricade: C'est une situation rare. C'est un défaut qui souvent est dû à une circoncision mal faite[13].

L'abîme: Elle est toujours béante et l'on ne peut voir ni atteindre son fond.

La mordante: Cette vulve, lorsque le pénis est entré, brûle d'une telle passion qu'elle s'ouvre et se ferme sur lui. Ceci se manifeste plus fortement au moment de l'orgasme; la contraction serre le sexe de l'homme, qui est attiré comme par un aimant, et en extrait toute la semence. Si Dieu, dans sa puissance, a décidé que la femme enfantera, la semence demeurera, sinon elle sera rejetée.

La suçante: C'est le vagin qui, dominé par l'ardeur amoureuse provoquée par l'abstinence ou par les caresses fréquentes et voluptueuses, étreint le pénis et se contracte avec une force capable d'en extraire la semence, comme fait un nourrisson qui tête le lait maternel.

La guêpe: Le pubis de cette vulve est recouvert de poils durs et forts. Quand le pénis s'approche, il est piqué comme le ferait une guêpe.

La toujours prête: Cette vulve aime à la passion le pénis. Au lieu d'être intimidée par un sexe dur et rigide, elle le traite avec dédain et en prétend un autre encore plus dur. Cette vulve ne s'effraie ni n'a honte lorsque quelqu'un lui soulève sa robe; au contraire, elle accepte toujours le pénis avec une grande chaleur, le fait reposer sur sa coupole (mont de Vénus) et, pas entièrement satisfaite de lui avoir fait place sur le pubis, elle se l'introduit et l'enfonce à un tel point que les testicules crient: "Quelle malchance! Notre frère a disparu. Il s'est immergé témérairement dans cette baie et nous craignons pour lui. Il doit être le plus valeureux de tous pour se jeter ainsi dans une caverne!". Le vagin, entendant leurs cris et voulant calmer leurs craintes au sujet de la disparition de leur frère, s'exclame: "N'ayez pas peur pour lui. Il vit encore et entend vos cris". Ceux-ci répondent: "Si ce que tu dis est vrai, fais le sortir de façon qu'on puisse le voir". "Non, je ne le laisserai pas sortir vivant" dit la vulve. Les testicules demandent quel est le crime terrible qu'il a commis pour être condamné ainsi à mort: la prison ou le bâton ne suffisent-ils pas? "Par l'existence de Celui qui a créé le Paradis, il ne sortira pas vivant" dit la vulve. Puis s'adressant au pénis "Tu entends tes frères? Dépêche-toi et montre-toi puisque ton absence les préoccupe". Tout de suite après l'éjaculation, le pénis, diminué, se présente à eux, mais ceux-ci refusent de le reconnaître en disant: "Mais qui es-tu, fantôme mou?". "Je suis votre frère et je suis malade" répond-il. "N'avez-vous pas remarqué dans quel état j'étais avant d'entrer? J'ai appelé tous les médecins pour les consulter mais celui que j'ai trouvé m'a soigné sans avoir besoin de m'ausculter". Les testicules répondent: "Frère, nous souffrons de la même maladie que la tienne car nous sommes unis à toi. Pourquoi Dieu n'a-t-il pas voulu nous faire subir le même traitement?"

Cependant le sperme afflue en eux et les fait augmenter de volume.

Désireux d'être soignés, ils disent: "Cher ami, fais vite et porte-nous chez le médecin qu'il puisse nous guérir. Il saura quoi faire car il comprend toutes les maladies".

La grimace: C'est l'organe de nombreuses vierges pas encore familiarisées avec le pénis, et qui, le voyant s'approcher, imaginent tout ce qu'il est possible de faire pour l'éloigner quand il s'insinue entre les cuisses pour passer.

La résignée: Cette vulve tolère tout mouvement qui plaît au pénis qu'elle a accueilli. Elle supporte aussi les rapports les plus longs et les plus véhéments, et la centième fois, elle est toujours aussi résignée et au lieu de se lamenter, remercie Dieu. Elle accepte également de recevoir la visite d'autres pénis. Elle appartient généralement à des femmes au tempérament ardent; si les choses se déroulaient comme elles le désirent, l'homme ne devrait jamais se retirer.

Celle qui réchauffe: C'est l'une des vulves les plus estimables. Le plaisir du rapport se mesure au degré de chaleur provoquée.

13. La circoncision féminine est une mutilation pratiquée encore aujourd'hui par certains peuples. Il semblerait qu'elle n'ait pas la même signification rituelle que la circoncision masculine; certains médecins l'expliquent comme étant une façon d'empêcher la masturbation et l'adultère.

Le cheikh Nefzawi, se référant à la tradition arabe, affirme que le désir des hommes "n'est jamais aussi puissant que celui des femmes".

La délicieuse: Elle a la réputation de procurer un plaisir incomparable; il ne peut être confronté qu'à celui éprouvé par des animaux sauvages ou des oiseaux de proie qui combattent à mort. Si les animaux font cela, que devraient faire les hommes? L'unique cause des guerres est la recherche de la volupté procurée par la vulve, plaisir suprême de la vie. C'est un avant-goût des joies qui nous attendent au paradis, dépassée seulement par la vue de Dieu lui-même.

On pourrait trouver d'autres noms aux organes féminins mais il me semble que la liste que j'en ai faite est suffisante.

Au sujet des choses qui rendent agréable l'acte d'amour

Sache, ô Vizir (que Dieu t'accorde Sa miséricorde!), qu'il y a six choses qui peuvent éveiller la passion: l'amour ardent, l'abondance du sperme, être près de la personne aimée, la beauté du visage, un régime juste et le contact.

La jouissance suprême qui dérive d'une éjaculation impétueuse et abondante dépend d'une circonstance: il est primordial que le vagin sache se contracter; ainsi il étreint le pénis et en extrait le sperme d'une manière irrésistible, comparable à celle d'un aimant. Une fois que le membre a été pris par la contraction, l'homme ne peut plus retenir pendant longtemps l'émission du sperme et le pénis est tenu étroitement jusqu'à ce qu'il soit complètement vidé. Mais si l'éjaculation se produit avant que la contraction ne commence l'homme ne tirera qu'un plaisir relatif du rapport sexuel.

Sache que huit choses favorisent le rapport sexuel: la santé, l'absence de problèmes, l'absence de soucis, la sérénité, un régime abondant, la richesse et en plus la variété dans les traits et corpulence des femmes.

Et maintenant l'oeuvre s'achève

Sache, ô Vizir (que Dieu te concède Sa miséricorde!), que ce chapitre contient toutes les indications les plus utiles dont peut avoir besoin un homme, quel que soit son âge, sur les meilleures façons d'augmenter sa puissance sexuelle.

Écoute ce que le plus sage et le plus savant des cheikh a à dire aux fils du Très Haut!

Celui qui mangera chaque jour, à jeun, le jaune de plusieurs oeufs, trouvera dans cet élément un stimulant plein d'énergie de la puissance sexuelle. Manger des jaunes d'oeufs et des oignons coupés pendant trois jours consécutifs a la même vertu.

Celui qui fera bouillir des asperges, puis les frira à la poêle avec un peu de gras, y ajoutera des jaunes d'oeufs et quelques épices en poudre, et mangera ce plat tous les jours, constatera que son appétit et sa puissance sexuels se renforceront considérablement.

Celui qui mettra dans une casserole des oignons bien propres avec des arômes et des condiments, fera frire l'ensemble avec de l'huile et un jaune d'oeuf et en mangera un peu pendant plusieurs jours, il acquerra ainsi une vigueur sexuelle supérieure à toute imagination et évaluation.

Le lait de chameau mélangé avec du miel et bu régulièrement provoque une vigueur étonnante et maintient le sexe en érection jour et nuit.

Celui qui se nourrira pendant plusieurs jours d'oeufs cuits avec de la myrrhe, de la cannelle et du poivre remarquera une vigueur accrue de ses érections et de ses capacités à faire l'amour. Son pénis sera tellement gonflé qu'il croira qu'il ne pourra plus retrouver son état de repos.

"Toute position où il est impossible de s'embrasser n'est pas satisfaisante".

Celui qui désire aimer toute une nuit, à cause de l'imprévu et de la véhémence du désir, et craint de ne pouvoir se consacrer aux préliminaires dont j'ai déjà parlé, devra suivre la recette suivante: frire des oeufs dans du gras frais et dans du beurre et, quand ils seront bien cuits les mélanger avec du miel. En manger le plus possible sur un morceau de pain; ceci lui permettra de se relaxer et de passer avec bonheur la nuit.

Il existe aussi de nombreuses boissons qui ont une efficacité extraordinaire dont celle-ci: mélanger une dose de jus d'oignon avec deux doses de miel rendu liquide. Réchauffer le tout à feu lent jusqu'à ce que le jus d'oignon soit évaporé. Enlever du feu et attendre que cela refroidisse. Une once de cette préparation se mélange à trois onces d'eau, puis il faut y immerger pendant vingt-quatre heures les testicules d'un pigeon. Cette potion se boit l'hiver de nuit, peu avant d'aller au lit, et en petites doses. Pendant la nuit le pénis de l'homme qui aura bu ne sera jamais au repos. S'il boit cette potion plusieurs jours consécutifs le pénis restera dressé perpétuellement. Un homme au tempérament ardent ne doit pas utiliser une telle potion car il pourrait tomber malade. Il est conseillé de ne pas l'utiliser pendant plus de trois jours consécutifs à moins qu'une personne ait une nature vraiment frigide. Mais il ne faut absolument pas la boire l'été.

En écrivant ce livre j'ai certainement péché!
De Ton pardon, ô Seigneur, j'aurais sûrement besoin;
mais si le dernier jour tu m'acquittes, je suis sûr que
tous mes lecteurs s'uniront à moi
en chantant à tue-tête: AMEN!